Maurício Zágari cedo se destacou com obr com igual desenvoltura no terreno da teol ótimo guia para mantermos a confiança e desafiadores. Os capítulos curtos são muito propícios para serem usados como reflexão devocional; os textos bíblicos criteriosamente selecionados e as tocantes orações enriquecem as reflexões. Que Deus use esta obra para sua glória e para transmitir coragem inquebrantável a seu povo.

Franklin Ferreira
Diretor geral e professor do Seminário Martin Bucer, em São José dos Campos, SP

Vivemos em uma cultura que deposita sua esperança em ídolos que mudam constantemente. Isso leva a muita ansiedade — no trabalho, na escola, nos relacionamentos. Como solução, o senso comum nos encoraja a tirar férias, psiquiatras nos incentivam a tomar medicamentos, e até mesmo algumas igrejas nos encorajam a olhar para dentro de nós, procurando resolver a ansiedade por meio de mensagens de autoajuda. Mas a solução definitiva, que Maurício Zágari demonstra tão bem neste livro, é depositar nossa confiança na obra completa de Jesus Cristo na cruz. É apenas esse tipo inabalável de confiança que nos permite andar pela fé.

Jay Bauman
Diretor do Atos 29 América Latina e fundador do Restore Brazil

Maurício Zágari apresenta a confiança como resposta a dois monstros que aterrorizam todo ser humano: o medo e a ansiedade. Com excelência, compartilha da confiança pelo conhecimento, pela intimidade, pela submissão, pelo amor a Deus. É um livro que incentiva a leitura da Palavra, em busca de respostas que aquietem o coração, por meio de instruções e testemunhos que levam a uma fé verdadeira, forte, inabalável. Desafia o leitor a uma jornada de combate ao medo e a ansiedade pela confiança no Criador dos céus e da terra, que pode nos levar a um verdadeiro equilíbrio emocional ainda nesta vida.

Nina Targino
Coordenadora nacional do Desperta Débora

Confiança inabalável nos lembra que, apesar dos medos, angústias e inquietações, Deus nos oferece a certeza do seu amor — gracioso, eterno e imensurável. Fundamentado em verdades bíblicas, Maurício Zágari mostra que, pela fé, é possível seguir adiante com bom ânimo para além das tribulações, saboreando a paz que vem do alto e excede o conhecimento humano. O preço da felicidade com Cristo é a crença de que tudo podemos se Deus é por nós, de que tudo venceremos se Deus está conosco, enfim, de que tudo colabora para o bem daqueles que o amam e nele confiam.

Rachel Sheherazade
Jornalista e apresentadora

No livro *Confiança inabalável*, Maurício Zágari consegue chamar a atenção do leitor para uma das mais confortantes verdades das Escrituras. A confiança no amor leal de Deus é o melhor remédio contra a ansiedade. Livro imprescindível para qualquer estação da vida.

Sérgio Queiroz
Presidente do Sistema Cidade Viva e procurador da Fazenda Nacional

MAURÍCIO ZÁGARI

CONFIANÇA INABALÁVEL

Um livro para quem quer vencer o medo e a ansiedade

Copyright © 2016 por Maurício Zágari
Publicado por Editora Mundo Cristão

Os textos de referência bíblica foram extraídos da *Nova Versão Internacional* (NVI), da Biblica Inc., salvo indicação específica. Eventuais destaques nos textos bíblicos e citações em geral referem-se a grifos do autor.

Todos os direitos reservados e protegidos pela Lei 9.610, de 19/02/1998.

É expressamente proibida a reprodução total ou parcial deste livro, por quaisquer meios (eletrônicos, mecânicos, fotográficos, gravação e outros), sem prévia autorização, por escrito, da editora.

CIP-Brasil. Catalogação na Publicação
Sindicato Nacional dos Editores de Livros, RJ

Z23c

   Zágari, Maurício
      Confiança inabalável: um livro para quem quer vencer o medo e a ansiedade / Maurício Zágari. — 1. ed. — São Paulo: Mundo Cristão, 2016.
      176 p.; 21 cm

      ISBN 978-85-433-0136-5

      1. Saúde mental - Aspectos religiosos - Cristianismo. 2. Vida cristã. 3. Ansiedade. I. Título

15-28264 CDD: 248.862
CDU: 2:613.86

Categoria: Inspiração

Publicado no Brasil com todos os direitos reservados por:
Editora Mundo Cristão
Rua Antônio Carlos Tacconi, 69, São Paulo, SP, Brasil — CEP: 04810-020
Telefone: (11) 2127-4147
www.mundocristao.com.br

1ª edição: março de 2016
2ª reimpressão (sistema digital): 2020

SUMÁRIO

Agradecimentos   7
Prefácio   9
Apresentação   11
Introdução   13

1. Confiança que vence o medo de tomar decisões erradas   19
2. Confiança que vence o medo da morte   23
3. Confiança que vence o medo da morte de pessoas amadas   28
4. Confiança que vence o medo de doenças   33
5. Confiança que vence o medo da solidão   38
6. Confiança que vence o medo da falta de dinheiro   42
7. Confiança que vence o medo da violência   46
8. Confiança que vence o medo de não dar conta de tudo o que se tem para fazer   51
9. Confiança que vence o medo do imprevisível   56
10. Confiança que vence o medo do improvável   61
11. Confiança que vence o medo de envelhecer   66
12. Confiança que vence o medo de se expor   71
13. Confiança que vence o medo de não ser feliz   76
14. Confiança que vence o medo de sofrer   81
15. Confiança que vence o medo de não se casar   86
16. Confiança que vence o medo de não ser feliz no casamento   91
17. Confiança que vence o medo da infertilidade   97
18. Confiança que vence o medo do que vem depois da morte   102
19. Confiança que vence o medo das forças do mal   107
20. Confiança que vence o medo da vontade de Deus   112

21. Confiança que vence o medo de fracassar — 117
22. Confiança que vence o medo da perseguição — 121
23. Confiança que vence o medo de ser incapaz ou indigno — 127
24. Confiança que vence o medo de não ser aceito pelas pessoas — 132
25. Confiança que vence o medo de perder amigos — 137
26. Confiança que vence o medo de ser criticado — 142
27. Confiança que vence o medo de errar — 147
28. Confiança que vence o medo do desconhecido — 152
29. Confiança que vence o medo de precisar esperar muito pelo que desejo — 157
30. Confiança que vence o medo de confiar — 162

Conclusão — 167
Notas — 171
Sobre o autor — 173

AGRADECIMENTOS

A Alessandra e Laura, por pacientemente compreenderem e perdoarem minhas ausências por conta das muitas horas que passo escrevendo, palestrando e pregando por amor a Deus e ao próximo.

A Hernandes Dias Lopes e William Douglas, por tão gentilmente terem escrito os generosos prefácio e apresentação deste livro.

A Cláudio Tupinambá, Franklin Ferreira, Jay Bauman, Nina Targino, Rachel Sheherazade e Sérgio Queiroz, por terem lido os originais desta obra e contribuído com comentários e endossos valiosos.

À querida Silvia Justino; ao preclaro e ínclito editor Daniel Faria; à indispensável Ester Tarrone; à talentosa Heda Lopes; e à dedicada Natália Custódio, capacíssima equipe do Departamento Editorial da Mundo Cristão, para quem sobram bons adjetivos. É um privilégio caminhar ao lado de vocês.

A Alan De Lucca, Ana Claudia, Andrea Carpenter, Carol Marques, Celina Shoji, Claudelande Freire, Cristiane Ionamine, Cristiane Oliveira, Eliane Araújo, Estêvão Reis, Flávia Vieira, Guell Salles, Ismael Paulo, Janice Valderrama, Jaqueline Linhares, Jenifer Silva, Lilian Alves, Luciana Nascimento, Luciano Silva, Marcelo Martins, Maria Flávia Aquino, Mariana Saldanha, Mark Carpenter, Pamela Shackleton, Paulo Baptista, Paulo Vilela, Renato Fleischner, Ricardo Dinapoli, Ricardo Shoji, Rosana Martins, Samara Lindquist, Selmi Aquino, Tainá Vieira, Vanda Alves, Vanessa Menezes, Vitor Marques e demais amigos da Editora Mundo Cristão, por acreditarem em mais um livro de minha autoria e trabalharem com indizível competência e um coração dedicado para torná-lo uma realidade e levá-lo a milhares de leitores.

A você, leitor, a razão de este livro existir.

A Deus, o autor e consumador da confiança inabalável.

PREFÁCIO

Tenho a subida honra de prefaciar este livro do ilustre escritor Maurício Zágari. Faço-o com entusiasmo e alegria. E, isso, por três razões:

Em primeiro lugar, porque conheço o autor. Maurício Zágari é um homem de Deus, um servo do Altíssimo. É um homem de testemunho eloquente. Sua vida autentica sua obra. Sua vida é o avalista de suas palavras.

Em segundo lugar, porque seu texto é fiel e relevante. Algumas obras são vazadas em boa teologia, porém de pouca aplicabilidade. A obra que o leitor tem em mãos combina exposição com aplicação, teologia com ética, doutrina com vida, credo com conduta. Maurício Zágari trata dos grandes dramas da vida e mostra como podemos ter uma confiança inabalável em Deus, mesmo quando cruzamos os desertos mais tórridos, mesmo quando descemos aos vales mais escuros, mesmo quando navegamos pelos mares mais revoltos.

Em terceiro lugar, porque seu texto é escrito com profundidade e leveza. O livro é profundo sem ser pesado. É rico de conteúdo, mas não inalcançável. Maurício Zágari escreve com beleza retórica e com eloquência cativante.

Estou certo de que a leitura deste livro abençoará sua vida e encherá seu coração de esperança, para olhar para Deus e ter nele uma confiança inabalável.

Hernandes Dias Lopes
Pastor titular da Primeira Igreja Presbiteriana de Vitória (ES),
conferencista e escritor

APRESENTAÇÃO

Maurício Zágari faz parte da nova geração de escritores dotados de um brilhantismo capaz de tocar em assuntos profundos e transmiti-los ao leitor de forma serena, sem perder a essência e a objetividade. E, mais importante, apesar de todo o seu talento, de saber empregar bem as palavras, possui uma qualidade que supera todos os seus adjetivos: a humildade. Isso sim o faz ainda mais brilhante e admirável.

É um homem de oração, e isso se reflete claramente em suas obras. Basta folhear algumas páginas, e você já é convidado a orar com ele, a vivenciar o momento de dirigir suas palavras ao Pai, deixando fluir a voz do coração. Ele se preocupa com o próximo, com o bem-estar do ser humano, tal qual Isaías, pregando boas notícias aos mansos, restauração das feridas da alma aos aflitos, libertação aos cativos de espírito e consolo aos entristecidos.

E o que falar deste livro? O tempo inteiro somos confrontados a tomar decisões, a fazer escolhas. Nossas decisões influenciam não somente nossa vida, mas também a das pessoas ao redor. Obviamente, muitas vezes ficamos apreensivos. Ninguém quer errar, por mais que saibamos que o erro faz parte do aprendizado. Mas o que fazer para minimizar os erros? Esse questionamento nos traz medo e ansiedade.

Ora, dizem que a ansiedade é o mal do século. Medo, quem não tem? O medo nos protege de sofrimentos maiores. Uma criança não vai brincar com fogo com medo de se queimar. E a ansiedade, por exemplo, de que as horas passem rápido para encontrar aquela pessoa amada é natural e prazerosa. Mas, quando medo e ansiedade tornam-se fantasmas que rondam a mente, causando sofrimento no seu dia a dia, então é sinal de alerta. Esses fantasmas podem e devem ser expurgados. Muitas vezes, para que isso ocorra, basta uma mudança de atitude, o olhar para si mesmo e para o que está acontecendo ao redor por um outro prisma. O prisma da confiança no Altíssimo. E aí está o cerne desta obra: a confiança em Deus.

Na leitura deste livro, você se surpreenderá ao perceber que algumas soluções para os problemas da vida parecem até mais simples. Não que o autor fuja da realidade, mas porque é capaz de enxergar, nos pequenos detalhes, nas pequenas coisas, o prazer e a alegria de quem tem uma vida submersa na confiança em um Deus que tudo pode, tudo vê e a todos ama. Com maestria, Maurício usa uma linguagem que pode ser facilmente entendida por qualquer pessoa e, com isso, demonstra o reino de Deus como ele é: simples e acessível a todo aquele que crê no Todo-Poderoso.

Se você quer experimentar essa confiança inabalável, eu o convido a mergulhar nos conselhos, alentos e reflexões deste livro.

WILLIAM DOUGLAS
Escritor, conferencista, professor e juiz federal

INTRODUÇÃO

Eles estão à espreita. Escondidos atrás de cada novo evento da vida, dois monstros sanguinários salivam, ávidos para pular sobre nós, cravar as garras em nossa alma, sugar nossa tranquilidade e alimentar-se de nossa paz. Seus nomes causam calafrios: *medo* e *ansiedade*, inimigos malignos que se intrometem na vida de milhões de pessoas sem pedir licença. Nenhum de nós deseja deparar com qualquer um deles, mas é inevitável: ao longo da vida, teremos de lidar com muitos momentos de medo e ansiedade. Por isso, este livro foi escrito especialmente para auxiliar você a ter paz e esperança mediante ferramentas que o ajudem a combatê-los e mantê-los sob controle.

Para falar sobre essas duas criaturas ameaçadoras e invisíveis, precisamos antes de tudo compreender exatamente quem elas são. Os dicionários definem *medo* como apreensão, um estado de espírito provocado pela consciência do perigo ou que provoca essa consciência. Já *ansiedade* é um mal-estar físico e psíquico, que inclui aflição, receio, agitação, preocupação e nervosismo, impedindo o repouso e a paz.

Merece atenção o fato de o dicionário definir *medo* também como "*ansiedade* irracional ou fundamentada", demonstrando a relação estreita entre os dois termos. Trata-se de irmãos siameses: um não existe sem o outro. Medo gera ansiedade, e ansiedade gera medo. Muitas vezes se fundem e se confundem, tornando-se um monstro único e apavorante.

Consegue identificar essas horrendas criaturas em sua vida? Será que você vive intercalando momentos de paz com os de apreensão e receio? Se você é um ser humano, eu ousaria dizer que sim, pois todos nós, em diferentes momentos, nos veremos amedrontados ou ansiosos — ou, o que é mais provável, os dois. É o emprego que está por um fio, a doença diagnosticada no exame, o casamento cheio de problemas, os filhos fazendo amizades preocupantes, as provas, as dívidas, as culpas, as responsabilidades, as dores... meu Deus! Que difícil!

E, quando você se dá conta, o medo se apossou de seu coração, tirando seu sono, paralisando suas ações e mastigando sua alma. Ou então a ansiedade envenenou sua mente, aumentando sua pressão, diminuindo (ou aumentando) seu apetite e arrancando sua paz. Você precisa de respostas. De alguém que diga que tudo ficará bem. De uma ajuda que não sabe de onde pode vir.

Se você vive assombrado por medo e ansiedade e não tem ideia de onde encontrar a solução, tenho ótimas notícias.

A Bíblia fala muito sobre medo e ansiedade. O assunto é tratado em diversas passagens das Escrituras cristãs, por vários autores, em diferentes contextos. O rei Davi escreveu a respeito no livro de Salmos. O sábio Salomão discorreu sobre isso em Provérbios. Jesus Cristo abordou o tema em ocasiões distintas, conforme registrado nos Evangelhos. Seus apóstolos também lidaram com essas questões. E, uma vez que na Bíblia o próprio Deus se revela à humanidade, tudo o que ela apresenta provém da maior fonte de verdade que se poderia cogitar: o conhecimento do Criador de tudo, daquele que sabe todas as coisas e para quem nada é impossível. Não há fonte melhor para se buscar respostas às grandes questões da vida.

Por isso, diante do medo e da ansiedade, devemos correr para a Bíblia, em busca das respostas que só ela pode nos dar. Pois, quando lemos as verdades sagradas, elas injetam em nosso coração o antídoto mais eficiente contra esses males: a *confiança inabalável* em Deus. "O rei *confia* no Senhor: por causa da fidelidade do Altíssimo ele *não será abalado*" (Sl 21.7); "Eu, quando estiver com medo, *confiarei* em ti. Em Deus, cuja palavra eu louvo, em Deus eu *confio*, e *não temerei*" (Sl 56.3-4); "Os que *confiam* no Senhor são como o monte Sião, que *não se pode abalar*, mas permanece para sempre" (Sl 125.1).

Se confiança é o segredo, precisamos entender com clareza o que, exatamente, ela significa. Confiar é dar crédito; é ter a crença de que algo não falhará e será forte o suficiente para cumprir sua função. E esse *algo* pode ser *alguém*, na verdade. Quando a confiança torna-se inabalável, ou seja, tão firme e sólida como uma casa edificada sobre a rocha, a ponto de nada nem ninguém conseguir mover um milímetro de seus alicerces, ela ganha outro nome: *fé*.

Segundo a definição bíblica, fé "é o firme fundamento das coisas que se esperam e a prova das coisas que se não veem" (Hb 11.1, RC). Em outra tradução do mesmo versículo, fé é "a certeza de coisas que se esperam, a convicção de fatos que se não veem" (RA). Assim, *confiança inabalável* é *firme fundamento, prova, certeza, convicção*. Fé. E, se temos confiança em Deus e nas promessas que ele nos faz na Bíblia, temos fé.

As Escrituras nos falam de um episódio na vida de Jesus em que ele é procurado por um pai angustiado, cuja filha se encontra no leito de morte. Diante disso, Cristo vira-se para aquele homem, chamado Jairo, e lhe diz algo simples e breve, mas extremamente revelador: "Não tenha *medo*; tão somente *creia*" (Mc 5.36). Note a oposição dos conceitos: contra o medo... creia. Confie. Tenha fé. As palavras do Mestre mostram que a resposta bíblica para o medo é a fé. Não tenha medo; basta crer. Essa é a proposta divina.

Em outra ocasião, a Bíblia nos conta que Jesus avistou ao longe seus discípulos em um barco, lutando contra as ondas e o vento. Milagrosamente, ele vai ao encontro deles, caminhando sobre as águas. Segundo o relato, quando os homens veem aquela imagem extraordinária e sobrenatural, ficam "aterrorizados" e começam a gritar "de medo". Ao se dar conta de que era Jesus, Pedro pede para ir até ele, e é autorizado. Na sequência, porém, "quando reparou no vento, ficou com *medo* e, começando a afundar, gritou: 'Senhor, salva-me!' Imediatamente Jesus estendeu a mão e o segurou. E disse: 'Homem de *pequena fé*, por que você duvidou?'" (Mt 14.22-32). Novamente, vemos uma situação em que o medo é apresentado em oposição à fé. Quando Pedro deixa de confiar em Deus, o medo prevalece e ele afunda.

Outras passagens bíblicas significativas afirmam ainda que "Deus é amor" (1Jo 4.8) e que "No amor não há medo; ao contrário o perfeito amor expulsa o medo" (1Jo 4.18). Portanto, é natural compreendermos que a presença e a ação de Deus anulam o medo. De que maneira? Por um milagre? Não, não espere que um raio caia sobre sua cabeça e automaticamente você se torne uma pessoa destemida e tranquila. A jornada rumo à paz se dá de modo racional, isto é, pela aquisição de conhecimento e pela crença nas verdades absorvidas.

A Bíblia diz que a fé — a confiança inabalável — é um processo que nos brota no coração por meio da assimilação da mensagem transmitida pela Palavra de Deus: "A fé vem por se ouvir a mensagem, e a mensagem é ouvida mediante a palavra de Cristo" (Rm 10.17). Logo, se tivermos confiança nesse Deus, se nossa fé estiver ancorada no que a Bíblia nos diz sobre nosso Criador e Pai, teremos a segurança necessária para que toda ansiedade seja vencida, e todo medo, erradicado.

Neste ponto, faz-se necessário um esclarecimento. Com relação ao medo e à ansiedade, é importante frisar que, assim como a depressão, eles podem se apresentar de duas maneiras diferentes: como um estado de espírito ou como uma doença patológica que precisa ser tratada com medicamentos e terapia. Meu objetivo *não* é falar do medo e da ansiedade que são fruto de distúrbios cerebrais. Esse tipo de ansiedade necessita de atenção profissional junto a um psiquiatra. Não é o caso aqui; o livro em suas mãos não visa, de forma alguma, substituir os cuidados médicos necessários para tratar de distúrbios psiquiátricos como síndrome do pânico, ansiedades de origem neurológica e outros tipos de fobia. O que pretendo nas páginas a seguir é oferecer ferramentas para combater o medo e a ansiedade naturais do cotidiano, deflagrados por situações da vida.

Pelo fato de muitos leitores terem compartilhado comigo o apreço pelo formato que utilizei em meu livro anterior, *O fim do sofrimento*, procurei adotar uma estrutura semelhante. Assim, *Confiança inabalável* é dividido em trinta seções, que tratam de tipos específicos e frequentes de medos e ansiedades. Ao final de cada texto, selecionei passagens bíblicas de apoio e ofereço uma proposta de oração, que pode estimular você a momentos de mais intimidade com Deus.

Independentemente de qual seja sua fé religiosa, oro para que a leitura deste livro o conduza a um estado emocional e espiritual de paz, que se alcança pela confiança em Deus e em suas palavras. Minha esperança é que você desenvolva fé naquele que tudo criou e que, portanto, tem poder sobre todas as coisas.

> Tu me cercas, por trás e pela frente, e pões a tua mão sobre mim. Tal conhecimento é maravilhoso demais e está além do meu alcance; é tão elevado que não o posso atingir. Para onde poderia eu escapar do teu Espírito? Para onde poderia fugir da tua presença? Se eu subir aos céus, lá estás; se eu fizer a minha cama na sepultura, também lá estás. Se eu subir com as asas da alvorada e morar na extremidade do mar, mesmo ali a tua mão direita me guiará e me susterá.
>
> Salmos 139.5-10

Você está com medo? A ansiedade o tem consumido? Então lembre-se da solução: "O Senhor é bom, um refúgio em tempos de angústia. *Ele protege os que nele confiam*" (Na 1.7). Confiança. Fé. Esse é o segredo.

Caminhe comigo pelas próximas páginas, a fim de desfrutar verdades que fortalecerão sua confiança no bom Pai celestial e o protegerão da angústia que pesa em sua vida. E tenha sempre em mente: "*Não andem ansiosos por coisa alguma*, mas em tudo, pela oração e súplicas, e com ação de graças, apresentem seus pedidos a Deus. *E a paz de Deus, que excede todo o entendimento, guardará o coração e a mente de vocês* em Cristo Jesus" (Fp 4.6-7).

1

Confiança que vence o medo de tomar decisões erradas

Quem examina cada questão com cuidado prospera, e feliz é aquele que confia no Senhor.

Provérbios 16.20

Lembro-me do período em que tomei a decisão de escrever um de meus livros. Eu já tinha quatro obras publicadas por outra editora; havia estreado na Mundo Cristão com *Perdão total* apenas quatro meses antes; e meu segundo livro pela editora, *O fim do sofrimento*, estava a três meses de ser lançado. Confesso que achava muito cedo para já mergulhar em um novo projeto literário, mas sentia a enorme necessidade de iniciar imediatamente a pesquisa sobre um tema que eu considerava cada vez mais importante. Era quase um senso de urgência. Comecei a perguntar a Deus se realmente era o momento de me dedicar a esse projeto, que, eu sabia, me consumiria horas de trabalho e muitas madrugadas acordado, orando, estudando, pesquisando e escrevendo. A dúvida persistia, e isso estava me deixando ansioso além da conta. Não queria tomar a decisão errada.

A poetisa Cecília Meireles escreveu sobre a dificuldade de tomar decisões: "Ou isto ou aquilo: ou isto ou aquilo... e vivo escolhendo o dia inteiro! Não sei se brinco, não sei se estudo, se saio correndo ou fico tranquilo. Mas não consegui entender ainda qual é melhor: se é isto ou aquilo".[1] Esse poema trata de uma das grandes realidades da vida: a importância e a dificuldade de fazer escolhas, com a ansiedade que isso gera.

Somos frequentemente confrontados com tal necessidade. Será que me caso com aquela pessoa? É para mudar de emprego? Em que bairro devo morar? Onde passo as férias? Devo frequentar outra igreja? Dou cambalhota ou planto bananeira? O tempo todo precisamos tomar decisões. É como se a vida fosse uma grande prova de múltipla escolha e, dependendo da opção, seguiremos por caminhos diferentes.

Embora essa seja uma dinâmica a que já estamos acostumados, muitas vezes a necessidade de escolher nos leva à ansiedade. O medo surge do entendimento de que cada decisão pode determinar o rumo de nossa vida — para melhor ou para pior. Como não conhecemos o futuro, nunca teremos certeza de antemão sobre as consequências de nossa escolha. O resultado? Somos invadidos pelo medo e a ansiedade.

Felizmente, Deus sabe o que é melhor.

"Ao homem pertencem os planos do coração, mas do Senhor vem a resposta da língua" (Pv 16.1). "Consagre ao Senhor tudo o que você faz, e os seus planos serão bem-sucedidos" (Pv 16.3). "Em seu coração o homem planeja o seu caminho, mas o Senhor determina os seus passos" (Pv 16.9).

Se nos aplicarmos a conhecer a Bíblia e, assim, entender a vontade de Deus, saberemos que trilhas devemos escolher ao chegarmos a cada bifurcação da vida. É muito comum, por exemplo, jovens solteiros me pedirem opiniões por meio do espaço de comentários de meu *blog* sobre se devem levar adiante namoros com pessoas que não compartilham de suas crenças e valores. Estão apaixonados, mas em conflito. Nessas horas, minha primeira pergunta é: "Você confia em Deus?". É quase certo que a resposta será: "Claro que sim!".

Em seguida, peço que o jovem leia este trecho da Bíblia: "Não se ponham em jugo desigual com descrentes. Pois o que têm em comum a justiça e a maldade? Ou que comunhão pode ter a luz com as trevas? Que harmonia entre Cristo e Belial? Que há de comum entre o crente e o descrente?" (2Co 6.14-15). E digo: "Se você confia em Deus, abraçará essa verdade e ela orientará suas decisões".

Veja alguns outros exemplos de dúvidas recorrentes. Por que devo obedecer a meus pais? "Honra teu pai e tua mãe, a fim de que tenhas vida longa na terra que o Senhor, o teu Deus, te dá" (Êx 20.12). Posso me interessar pela namorada de outro rapaz? "Não cobiçarás a mulher do teu próximo" (Êx 20.17). É errado deixar de declarar o imposto de renda? "É por isso também que vocês pagam imposto, pois as autoridades estão a serviço de Deus, sempre dedicadas a esse trabalho" (Rm 13.6). Devo perdoar a terrível ofensa que aquela pessoa me fez? "Se perdoarem as ofensas uns dos outros, o Pai celestial também lhes perdoará. Mas se não perdoarem uns aos outros, o Pai celestial não lhes perdoará as ofensas" (Mt 6.14-15).

Viu como a Bíblia nos dá as respostas de que precisamos? Se você se dedicar a conhecer a vontade de Deus revelada nas Escrituras e confiar em cada palavra ali escrita, terá em mãos um riquíssimo guia que orientará seus passos. Basta conhecer... e confiar.

Veja meu exemplo. Diante da dúvida sobre se deveria começar a escrever um novo livro ou esperar, me vi tomado pela ansiedade. Eu não queria tomar a decisão errada!

Foi quando parei.

Voltei-me para a leitura da Bíblia e a oração. Ao ler as verdades sagradas, encontrei respostas. E elas me inundaram de um enorme senso de confiança em Deus e da certeza de que, sim, eu deveria dar início ao processo de realização de um livro sobre como a confiança em Deus e no que ele diz pode vencer o medo e a ansiedade.

O resultado? Você o tem em mãos neste exato momento.

Uma mensagem de esperança

Se você diz:
— *Tenho medo de tomar decisões erradas...*

Deus tem um recado para você:
— *Tome sua decisão com base na minha vontade, revelada na Bíblia, e não se decepcionará. Pode confiar.*

Confie nestas palavras

Jotão tornou-se cada vez mais poderoso, pois andava firmemente segundo a vontade do Senhor, o seu Deus.

2Crônicas 27.6

Nossa esperança está no Senhor; ele é o nosso auxílio e a nossa proteção. Nele se alegra o nosso coração, pois confiamos no seu santo nome. Esteja sobre nós o teu amor, Senhor, como está em ti a nossa esperança.

Salmos 33.20-22

Tenham cuidado com a maneira como vocês vivem; que não seja como insensatos, mas como sábios, aproveitando ao máximo cada oportunidade, porque os dias são maus. Portanto, não sejam insensatos, mas procurem compreender qual é a vontade do Senhor.

Efésios 5.15-17

Aos pés do Senhor

Pai amado, tenho muito medo de tomar decisões erradas. Por vezes a insegurança me domina tanto que acabo ficando muito ansioso. Mas, sabendo que, se eu fizer o que queres, nunca seguirei pelo caminho errado, peço que me conduzas segundo a tua vontade, expressa em tua Palavra. Amém.

2
Confiança que vence o medo da morte

> Portanto, visto que os filhos são pessoas de carne e sangue, [Jesus, o Filho] também participou dessa condição humana, para que, por sua morte, [...] libertasse aqueles que durante toda a vida estiveram escravizados pelo medo da morte.
> Hebreus 2.14-15

Já imaginou o que pensa e sente um grão de trigo diante da própria morte? Ele nasce e vive preso às fortes hastes que o sustentam, desfrutando a água da chuva e a brisa suave, numa existência calma e pacífica. Mas, de repente, num dia como outro qualquer, ele se desprende e despenca no chão. Ponha-se no lugar dele. Numa situação inédita como essa, o que você sentiria? Eu, com certeza, entraria em pânico. "Vou morrer, socorro!" Mas não tem jeito: o solo o abraça, a chuva cai e o pequenino grão... morre.

Triste? Não necessariamente.

Passado aquele momento, o pequenino grão percebe que sua história não acaba aí. Uma estranha transformação começa a acontecer, algo que ele nunca vivenciara. Do corpo inerte daquele grão saem raízes, nascem hastes e, por fim, o minúsculo grão de trigo se transforma num grande e produtivo trigal. Minha pergunta é: se esse grão chegasse até você *antes* de isso acontecer para lhe dizer que estava com medo da morte, o que você responderia? Uma boa resposta seria: "Não tenha medo nem fique ansioso, amigo grão de trigo. É preciso que você morra para se transformar num glorioso trigal".

Você sabia que Jesus falou sobre essa realidade?

Digo-lhes verdadeiramente que, se o grão de trigo não cair na terra e não morrer, continuará ele só. Mas se morrer, dará muito fruto. Aquele que ama a sua vida, a perderá; ao passo que aquele que odeia a sua vida neste mundo, a conservará para a vida eterna.

João 12.24-25

O mesmo vale para nós, seres humanos. De modo geral, as pessoas evitam falar sobre a morte. Consideram um assunto lúgubre, sombrio, deprimente, até mesmo agourento. Porém, quando leio na Bíblia todas as promessas sobre a vida na eternidade, brotam em meu coração confiança, alento e paz, porque Deus, o Autor da vida, fez a enorme gentileza de nos revelar o que nos espera após esta existência.

Você gostaria de não ter mais nenhum sofrimento, tristeza, preocupação, estresse, dor ou lágrima? Pois a Bíblia afirma que será exatamente assim após a morte do corpo terreno, este grão de trigo em que habitamos: sem aflições, só paz. Deus mostrou ao apóstolo João como será o estado eterno dos que morrem crendo que Jesus é Senhor e Salvador de sua vida:

> Então vi novos céus e nova terra, pois o primeiro céu e a primeira terra tinham passado; e o mar já não existia. Vi a Cidade Santa, a nova Jerusalém, que descia dos céus, da parte de Deus, preparada como uma noiva adornada para o seu marido. Ouvi uma forte voz que vinha do trono e dizia: "Agora o tabernáculo de Deus está com os homens, com os quais ele viverá. Eles serão os seus povos; o próprio Deus estará com eles e será o seu Deus. Ele enxugará dos seus olhos toda lágrima. Não haverá mais morte, nem tristeza, nem choro, nem dor, pois a antiga ordem já passou".
>
> Apocalipse 21.1-4

Imagine que você está sob um calor sufocante e, de repente, salta numa piscina gelada. No segundo em que seu corpo transpõe a linha d'água, a sensação de frescor toma conta de você. É a entrada numa realidade que muda tudo e traz alívio imediato. Nesse sentido, a história bíblica do mendigo Lázaro é muito significativa e esclarecedora. O próprio Jesus fez esse relato. Disse ele:

> Havia um homem rico que se vestia de púrpura e de linho fino e vivia no luxo todos os dias. Diante do seu portão fora deixado um mendigo chamado Lázaro, coberto de chagas; este ansiava comer o que caía da mesa do rico. Até os cães vinham lamber suas feridas. Chegou o dia em que o mendigo morreu, e os anjos o levaram para junto de Abraão.
> Lucas 16.19-22

Miserável, doente, humilhado... será que conseguimos dimensionar quanto aquele homem sofreu, física e emocionalmente, durante todos aqueles anos? E assim foi até que Lázaro deu o passo para fora deste mundo. Tento imaginar, fascinado, aquele instante. Seu corpo entra em falência. Ainda de olhos abertos, em meio ao sofrimento, ele escuta o sussurro divino: "Vem...". Fecha os olhos. Um segundo depois, abre-os novamente. Num piscar de olhos, o vazio no estômago, as dores físicas, o senso de humilhação, toda a desgraça daquele homem simplesmente desaparecem. "Os anjos o levaram...", diz Jesus.

Com base nesse relato e em outras afirmações bíblicas, confio que, no dia em que nossa vez chegar, anjos nos tomarão pela mão para nos conduzir à tão esperada e ansiada presença do Criador do universo, o Autor da vida, o Rei dos reis e Senhor dos senhores. E seremos recebidos não por causa de nossa dignidade, mas pelo sangue de Jesus, derramado para nos purificar de nossas maldades. Pronto, está consumado, entramos na eternidade. Não há mais choro, nem dor: só a presença do Senhor, desvendado em toda a sua glória.

A morte chegará. Para os que seguem Jesus nesta vida, não é um tema sombrio. "Portanto, agora já não há condenação para os que estão em Cristo Jesus, porque por meio de Cristo Jesus a lei do Espírito de vida me libertou da lei do pecado e da morte" (Rm 8.1-2). Para quem vive com Cristo, a morte é um passo para um reino sem sofrimento, para o abraço dos anjos, para a presença do Pai de amor. E, ao final de todas as coisas, os que derem esse passo se reunirão e, juntos, louvarão transbordando de alegria: "Aleluia!, pois reina o Senhor, o nosso Deus, o Todo-poderoso. Regozijemo-nos! Vamos alegrar-nos e dar-lhe glória!" (Ap 19.6-7).

Uma mensagem de esperança

Se você diz:
— *Tenho medo da morte...*

Deus tem um recado para você:
— *Se você vive com Cristo, o que o espera é uma eternidade de alegria; sem tristeza, nem choro, nem dor. Pode confiar.*

Confie nestas palavras

Quem ouve a minha palavra e crê naquele que me enviou, tem a vida eterna e não será condenado, mas já passou da morte para a vida. Eu lhes afirmo que está chegando a hora, e já chegou, em que os mortos ouvirão a voz do Filho de Deus, e aqueles que a ouvirem, viverão.

João 5.24-25

Asseguro-lhes que, se alguém obedecer à minha palavra, jamais verá a morte.

João 8.51

Quando você semeia, não semeia o corpo que virá a ser, mas apenas uma simples semente, como de trigo ou de alguma outra coisa. [...] Assim será com a ressurreição dos mortos. O corpo que é semeado é perecível e ressuscita imperecível; é semeado em desonra e ressuscita em glória; é semeado em fraqueza e ressuscita em poder; é semeado um corpo natural e ressuscita um corpo espiritual.

1Coríntios 15.37,42-44

Aos pés do Senhor

Pai querido, muito obrigado pela certeza de que, se vivo com Cristo hoje, também com ele viverei após a morte. Que essa segurança remova de meu coração todo medo e que eu nunca fraqueje na confiança de que, no porvir, o que me aguarda é uma realidade sem tristeza, nem choro, nem dor. Amém.

3

Confiança que vence o medo da morte de pessoas amadas

Os teus olhos viram o meu embrião; todos os dias determinados para mim foram escritos no teu livro antes de qualquer deles existir.

Salmos 139.16

Desde que minha filha nasceu, minha esposa e eu usamos uma estratégia nada original para lhe explicar a morte de parentes e amigos dos quais ela ouviu falar mas que não chegou a conhecer. A filhota olhava para aquelas antigas fotos de família e perguntava onde estavam aquelas pessoas. Cadê a bisavó Ana, os *bisos* João e o outro João? Onde estão os tios-avós Norival, Alda, Ana Maria, Jairo, Hyldeth? A resposta era sempre a clássica:

— A *bisa* Alzira foi morar no céu, filhinha.

Aos poucos, comecei a perceber que, mesmo não compreendendo com exatidão o que era a morte, para minha filha estava claro que "ir para o céu" significava migrar para um lugar onde a pessoa ficava separada daqueles que antes viviam em sua companhia. Certa noite, pouco depois de completar 4 anos, ela virou-se para mim e disse, num tom de voz baixinho:

— Papai...

— Sim, bebê?

— Eu não quero que você vá morar no céu... Quero que fique comigo...

Naquele momento, percebi que minha filhinha já começava a vivenciar um medo que assombra uma quantidade enorme de gente: o temor da morte de uma pessoa querida. E é um medo que nos preocupa desde a mais tenra idade, como demonstrou minha filha. A verdade é que não queremos deixar de conviver com quem amamos.

Curiosamente, a morte é uma das poucas certezas da vida: todos sabemos que todos morreremos, mas não temos ideia de quando isso ocorrerá. Então, a ansiedade gerada pelo receio de perder alguém que se ama é um sentimento que, um dia, terá de ser enfrentado. Só não teremos de enfrentar isso se nós é que partirmos antes. Mas, como "nunca se sabe", o medo motivado pela incerteza do *quando* nos agarra e dificilmente larga.

Maridos temem a morte da esposa. Esposas temem a morte do marido. Pais se apavoram diante da possibilidade de perder os filhos. Filhos se angustiam ao pensar na partida dos pais. Essa é uma realidade constante, e a expectativa da dor da perda gera ansiedade. Como solucionar esse problema?

Confiança. Fé em que a ausência não será para sempre.

Imagine que um filho encontra um bilhete colado na porta da geladeira, assinado pelo pai. Nele se lê: "Encontre-me ao meio-dia na porta do supermercado". O que garante que de fato ocorrerá o que está escrito ali? O que determinará a atitude do filho ao ler o bilhete? Note que ele tem duas opções: confiar no que o pai escreveu e se deslocar até o local indicado, na hora indicada; ou não confiar e, assim, não comparecer ao encontro. As decisões do filho se baseiam na fé que ele tem de que: 1) foi seu pai quem escreveu o bilhete; e 2) que as informações nele escritas são verdadeiras.

Do mesmo modo, a confiança que nos dá paz quando vem o medo de perder uma pessoa amada se baseia na certeza de que é verdade aquilo que Deus nos diz. E o que ele diz?

1. Que Deus é o Autor da vida (At 3.15).
2. Que Deus criou absolutamente tudo e todos (Jo 1.3).
3. Que Deus é quem sustenta todas as coisas (Hb 1.3).
4. Que nada acontece no mundo sem que o Senhor consinta (Mt 10.29-31).

Se cremos nessas verdades, estamos firmados na certeza de que tudo o que ocorre no universo está sob o poder de decisão do Autor da vida, o único que sustenta todas as coisas. O que precisamos é ter confiança nas decisões desse Deus todo-poderoso.

Tem medo de que alguém que você ama parta desta vida? Isso gera ansiedade? Acalme-se, pois Deus está no controle. Ele criou a vida de cada um de nós, e só ele determina quando ela acabará.

Lembre-se: a morte não é o fim. E aqueles que morrem em Cristo se tornam herdeiros de uma vida de paz infinita e de ausência de sofrimento. Por isso é tão importante receber Jesus como Senhor e Salvador, uma vez que só uma vida terrena em aliança com ele nos garante a vida eterna na companhia dele. Para os que morrem em Cristo, não há o que temer. Não há por que ficar ansioso por algo que será tão bom para aqueles que partem. Para os que ficam, resta a dor da saudade. Mas, se tivermos a confiança de que haverá o reencontro entre os que vivem e os que já se foram, podemos substituir o *medo* pela *paciência*: tudo o que precisamos fazer é esperar pelo dia em que acontecerá aquilo que o apóstolo Paulo deixou colado em um bilhete de nossa geladeira:

> Irmãos, não queremos que vocês sejam ignorantes quanto aos que dormem, para que não se entristeçam como os outros que não têm esperança. Se cremos que Jesus morreu e ressurgiu, cremos também que Deus trará, mediante Jesus e com ele, aqueles que nele dormiram.

Dizemos a vocês, pela palavra do Senhor, que nós, os que estivermos vivos, os que ficarmos até a vinda do Senhor, certamente não precederemos os que dormem. Pois, dada a ordem, com a voz do arcanjo e o ressoar da trombeta de Deus, o próprio Senhor descerá dos céus, e os mortos em Cristo ressuscitarão primeiro. Depois nós, os que estivermos vivos, seremos arrebatados com eles nas nuvens, para o encontro com o Senhor nos ares. E assim estaremos com o Senhor para sempre. Consolem-se uns aos outros com essas palavras.

1Tessalonicenses 4.13-18

Minha filha, na verdade, não tem medo de que eu vá para o céu. O medo dela é, isto sim, de ficar longe de mim e nunca mais me reencontrar. O medo de perder alguém, portanto, é o medo da dor da ausência. Ainda assim, não importa quão ansiosa ela fique com essa perspectiva, querendo ou não, um dia eu partirei. Graças à confiança que tenho em Deus, isso não me gera ansiedade, pois sou consolado e fortalecido na esperança pelas palavras da Bíblia.

Que você seja consolado também pelo fato de que essas mesmas palavras nos prometem um reencontro dos que foram e os que aqui estiverem, na presença do Autor da vida. Sim, eu morrerei. Mas isso não é uma notícia fúnebre, porque, na eternidade, pela graça de Deus, não haverá mais ausência: se estamos em Cristo, minha filha não tem de me dar o tão temido *adeus* e, sim, um paciente *até breve*.

Uma mensagem de esperança

Se você diz:
— *Tenho medo da morte daqueles que amo...*

Deus tem um recado para você:
— *A morte de quem você ama é só uma separação temporária. Tenha paciência e o reencontro acontecerá. Pode confiar.*

Confie nestas palavras

Descanse somente em Deus, ó minha alma; dele vem a minha esperança. Somente ele é a rocha que me salva; ele é a minha torre alta! Não serei abalado!

Salmos 62.5-6

No amor não há medo; ao contrário o perfeito amor expulsa o medo, porque o medo supõe castigo. Aquele que tem medo não está aperfeiçoado no amor.

1João 4.18

Quando o vi, caí aos seus pés como morto. Então ele colocou sua mão direita sobre mim e disse: "Não tenha medo. Eu sou o Primeiro e o Último. Sou Aquele que Vive. Estive morto mas agora estou vivo para todo o sempre!".

Apocalipse 1.17-18

Aos pés do Senhor

Pai de amor, eu te agradeço por todas as pessoas maravilhosas que puseste em minha vida; meus amigos e minha família. Tenho muito medo de perdê-las, mas sei que, um dia, a partida será inevitável. Ajuda-me a desfrutar ao máximo a presença de cada um deles e a trocar o medo da perda pela esperança do reencontro. Amém.

4
Confiança que vence o medo de doenças

> Aquele que habita no abrigo do Altíssimo e descansa à sombra do Todo-poderoso pode dizer ao Senhor: "Tu és o meu refúgio e a minha fortaleza, o meu Deus, em quem confio". [...] Você não temerá o pavor da noite, nem a flecha que voa de dia, nem a peste que se move sorrateira nas trevas, nem a praga que devasta ao meio-dia.
>
> Salmos 91.1-2,5-6

Todos já vimos aquelas cenas de filme em que o personagem está dirigindo em alta velocidade e, de repente, quando tenta frear, descobre que os freios não funcionam. No mesmo instante, sua atitude muda. Os olhos arregalam, a testa franze, os lábios se apertam, a respiração acelera. O medo transparece por todos os poros. Tomado pela ansiedade, pisa repetidas vezes no freio, numa tentativa desesperada de controlar o automóvel.

Percebeu o verbo que usei? *Controlar*. Isso é fundamental para compreender a razão de esse personagem mostrar tanta aflição ao se ver num veículo sem freios. Note que ele não tem medo de dirigir, mesmo porque vinha fazendo isso com toda a tranquilidade. Tudo mudou quando se deu conta de que não tinha mais domínio sobre o carro e que entrou em rota de colisão com algo que poderia até tirar sua vida.

O temor de adoecer é bem semelhante. Aparentemente, estamos no controle desse automóvel chamado *vida*. Acordamos pela manhã, vamos aonde queremos, comemos o que nos apetece, dormimos na hora que nos agrada. Mas a doença nos rouba esse controle. Quando ela chega, já não temos a mesma capacidade de fazer as coisas como queremos. Ficar doente é sinônimo de perder o controle sobre o corpo. Algo nos arranca das mãos esse poder: vírus, bactérias, parasitas, genes defeituosos, células descontroladas, o que for. Ficamos sem freios, e o volante vai parar nas mãos de forças invisíveis. E, como no carro desgovernado, nosso maior medo é que o automóvel — nosso corpo — acabe no fundo de um barranco ou colida com um poste. Dor. Sofrimento. Morte.

A aflição gerada pelo medo de adoecer não está ligada apenas à possibilidade de morrer, mas também, e em grande escala, à de sofrer. Não poder controlar isso é desesperador. Você quer resolver o problema mas percebe que depende de médicos, remédios, injeções, cirurgias, tratamentos. O resultado: ansiedade.

Pesquisa do instituto Datafolha[1] mostrou que o medo primordial dos brasileiros é o de ter câncer (81% dos entrevistados). Em terceiro lugar ficou o de contrair aids e, em quarto, o de pegar dengue. É extremamente significativo que três dentre os quatro maiores temores da população de nosso país sejam de doenças. A verdade é que temos pavor de perder o controle de nosso corpo e, consequentemente, de nossa vida.

A Bíblia, no entanto, fala de pessoas que tiveram plena confiança em que Deus está no controle das doenças. Certo dia, por exemplo, Jesus visitava uma cidade chamada Caná. Ali vivia um oficial do rei, cujo filho estava doente. Quando ouviu falar que Jesus tinha chegado à região, procurou-o e suplicou-lhe que fosse curar seu filho: "Senhor, vem, antes que o meu filho morra!". Jesus simplesmente respondeu: "Pode ir. O seu filho continuará vivo". Então o texto bíblico diz algo extraordinário: "O homem *confiou* na palavra de Jesus e partiu" (Jo 4.49-50).

Imagine-se no lugar daquele oficial: possivelmente você já teria recorrido aos melhores médicos e aos remédios mais caros, inutilmente. De repente, um desconhecido lhe diz: "Pode ir". Você acreditaria? Difícil, não? Mas aquele homem *confiou* que Jesus tinha controle sobre a doença de seu filho. Bastou isto: confiança no controle de Deus.

> Estando ele ainda a caminho, seus servos vieram ao seu encontro com notícias de que o menino estava vivo. Quando perguntou a que horas o seu filho tinha melhorado, eles lhe disseram: "A febre o deixou ontem, à uma hora da tarde". Então o pai constatou que aquela fora exatamente a hora em que Jesus lhe dissera: "O seu filho continuará vivo".
> João 4.51-53

No salmo 91, a Bíblia apresenta o grande remédio para o medo de doenças. O texto faz uma afirmação excepcional: existe um tipo de pessoa que "não temerá [...] a peste que se move sorrateira nas trevas, nem a praga que devasta ao meio-dia" (v. 5-6). Que incrível! É possível não temer pestes e pragas, doenças e destruições. Mas como? Quem é essa pessoa? O salmista descreve esse indivíduo destemido: "Aquele que habita no abrigo do Altíssimo e descansa à sombra do Todo-poderoso", isto é, quem vive próximo a Deus. Mas não para aí. Diz ainda que essa pessoa que caminha em intimidade com o Todo-poderoso é quem pode dizer a ele: "Tu és o meu refúgio e a minha fortaleza, o meu Deus, em quem *confio*" (v. 2). Confiança. Sim, para vencer o medo de doenças é preciso viver em proximidade ao Senhor e confiar nele.

Se você está com medo de tudo o que pode sofrer quando vier a doença, lembre-se do que a Bíblia diz que devemos fazer: "Lancem sobre [Jesus] toda a sua ansiedade, porque ele tem cuidado de vocês" (1Pe 5.7). E, uma vez que fizermos isso, "o

Deus de toda a graça, que os chamou para a sua glória eterna em Cristo Jesus, depois de terem sofrido durante um pouco de tempo, os restaurará, os confirmará, lhes dará forças e os porá sobre firmes alicerces" (1Pe 5.10).

Nosso nível de medo e ansiedade quando pensamos em doenças é diretamente proporcional à confiança que depositamos em Deus. Se você tiver fé em que ele controla o destino de seu corpo e de sua vida, encontrará a paz de saber que, mesmo que venha a enfermidade, ela não é um carro desgovernado. O Senhor sabe a hora de frear e de acelerar. E ele é um bom motorista, pode acreditar.

Uma mensagem de esperança

Se você diz:
— *Tenho medo de doenças...*

Deus tem um recado para você:
— *Eu sou seu refúgio e sua fortaleza. Descanse à minha sombra e viva em intimidade comigo. Sou o seu Deus. Pode confiar.*

Confie nestas palavras

O Senhor o susterá em seu leito de enfermidade, e da doença o restaurará.

Salmos 41.3

Certamente ele tomou sobre si as nossas enfermidades e sobre si levou as nossas doenças.

Isaías 53.4

Jesus foi por toda a Galileia, ensinando nas sinagogas deles, pregando as boas novas do Reino e curando todas as enfermidades e doenças entre o povo.

Mateus 4.23

Aos pés do Senhor

Pai querido, vivemos sujeitos a doenças e problemas de saúde, que chegam sem mandar aviso. Tenho medo do sofrimento e de todas as coisas ruins que as enfermidades podem provocar. Sei que tu controlas o destino de meu corpo e de minha vida, por isso descanso no teu domínio sobre todas as coisas. Ajuda-me a descansar nessa certeza. Amém.

5

CONFIANÇA QUE VENCE O MEDO DA SOLIDÃO

Deus dá um lar aos solitários.

SALMOS 68.6

A solidão faz parte da vida de muitos de nós. Ela pode nos transformar em panelas de pressão, desesperadas por conversar com alguém, sedentas por um pouco de afeto, cheias de sentimentos acumulados a compartilhar... mas não há válvula de escape. O resultado é que carregamos um vazio imenso no peito. Solidão é um "eu em mim" involuntário e compulsório.

Mas, ao contrário do que muitos podem pensar, solidão não tem a ver com a quantidade de pessoas com quem nos relacionamos, e sim com a qualidade da conexão que se estabelece. Uma infinidade de gente ao nosso redor não nos garante o fim da solidão. Uma única pessoa que seja, mas que tenha acesso ao mais profundo de nosso íntimo, isto sim representa o fim da solidão. O rei Davi e seu grande amigo Jônatas que o digam. "Sucedeu que, acabando Davi de falar com Saul, a alma de Jônatas se ligou com a de Davi; e Jônatas o amou como à sua própria alma" (1Sm 18.1, RA). A resposta à solidão chama-se *alguém*.

O ser humano foi feito para compartilhar. Existem tantos solitários à nossa volta simplesmente porque não conseguimos abrir os anseios mais íntimos para o outro, compartilhar com ele os dramas mais ocultos. Não entregamos nosso afeto, como fomos feitos para entregar, porque há milhões de barreiras sociais, culturais ou pessoais. Assim, retemos. Engolimos. Ficamos ensimesmados. E, se você vive a solidão, sabe quão terrível é isso, como um animal selvagem que nos estraçalha por dentro. Ninguém se basta a si mesmo: precisamos uns dos outros.

Viver somente para si é doloroso. O próprio Jesus elevou seus discípulos ao patamar de *amigos* (Jo 15.15). E ele sofreu ao ver que, em seu momento de máxima agonia, seus amigos dormiram, abandonando-o (Mt 26.36-46). Até mesmo na cruz, ele fez aquela oração que ainda hoje desperta debates, mas que revela um profundo sentimento de solidão: "Meu Deus! Meu Deus! Por que me abandonaste?" (Mt 27.46).

Por conhecer a solidão de perto, Jesus entende a dor que ela causa. E ele sabia que muitos temeriam passar pelo que passou. Assim, o amoroso Redentor nos deixou uma promessa magnífica. Tudo o que você precisa fazer é confiar nela. Preste atenção a estas poucas palavras, que são um antídoto magnífico contra o medo de ficar só: "E eu estarei sempre com vocês, até o fim dos tempos" (Mt 28.20)

Sim! A promessa de Cristo é a de uma companhia constante. *Sempre*. Você jamais estará só. Não está sozinho hoje, e também não estará amanhã. Pois Cristo está com você; o Espírito Santo, conselheiro e consolador, está com você — Deus está com você. *Sempre*.

Estar com Deus é a garantia de que temos um companheiro fiel, um amigo para todas as horas. Leia, por exemplo, o que diz o rei Davi:

> Para onde poderia eu escapar do teu Espírito? Para onde poderia fugir da tua presença? Se eu subir aos céus, lá estás; se eu fizer a minha cama na sepultura, também lá estás. Se eu subir com as asas da alvorada e morar na extremidade do mar, mesmo ali a tua mão direita me guiará e me susterá.
>
> Salmos 139.7-10

Essas palavras oferecem a segurança de que, não importa onde você esteja, a presença de Deus o acompanha. Se ele está com você na alvorada e na extremidade do mar, também certamente estará ao seu lado no trabalho, na escola, na igreja ou no quarto vazio. Quando você mais teme a solidão, o Deus que o criou segura em sua mão, acalenta seu coração, e diz:

"Mesmo nos lugares mais solitários de tua alma eu te guio e te sustento".

Deus não está ausente. Se você confia nas palavras de Cristo, essa é uma certeza que o acompanhará. Quando vier o medo da solidão, lembre-se disso e o temor se dissipará como uma névoa; pois na presença do Senhor não há espaços vazios — nem mesmo para ser ocupado pela solidão.

Volte seus olhos para Cristo. Saiba que ele está com você e que nunca, nem um dia sequer, ele o abandonou, nem o abandonará. Isso é promessa dele. Converse com o Senhor. Feche os olhos e deixe que a voz dele invada seu coração. Então você saberá que toda ansiedade provocada pelo medo da solidão, por mais intensa que possa parecer, é vã diante da certeza de que, mesmo no deserto mais distante ou na montanha mais alta... ninguém está sozinho, se tem Deus no coração.

Essa é uma verdade afirmada e reafirmada por Cristo àqueles que são seus discípulos. Disse-lhes o Mestre: "Aproxima-se a hora, e já chegou, quando vocês serão espalhados cada um para a sua casa. Vocês me deixarão sozinho. Mas eu não estou sozinho, pois meu Pai está comigo" (Jo 16.32).

Você não está sozinho. O Pai está com você. *Sempre*. E, assim como Cristo, mesmo que todos o deixem sozinho, você pode dizer com toda a confiança:

"Eu não estou sozinho, pois meu Pai está comigo".

Uma mensagem de esperança

Se você diz:

— *Tenho medo de ficar só...*

Deus tem um recado para você:

— *Eu estarei sempre com você, até o fim dos tempos. Pode confiar.*

Confie nestas palavras

Naquela noite, o Senhor lhe apareceu e disse: "Eu sou o Deus de seu pai Abraão. Não tema, porque estou com você".

Gênesis 26.24

Não tema, pois estou com você; não tenha medo, pois sou o seu Deus.

Isaías 41.10

Não os deixarei órfãos; voltarei para vocês. Dentro de pouco tempo o mundo não me verá mais; vocês, porém, me verão. Porque eu vivo, vocês também viverão. Naquele dia compreenderão que estou em meu Pai, vocês em mim, e eu em vocês.

João 14.18-20

Aos pés do Senhor

Pai, meu amigo e companheiro, que alegria é saber que tu estás comigo. É uma grande dádiva ter sido alcançado por tua graça, o que me permite ter acesso direto a ti. Põe em minha vida pessoas que me façam companhia, para somar à tua santa, maravilhosa e incomparável presença. Obrigado por caminhares comigo todos os dias, incessantemente. Amém.

6

CONFIANÇA QUE VENCE O MEDO DA FALTA DE DINHEIRO

> Coroas o ano com a tua bondade, e por onde passas emana fartura; fartura vertem as pastagens do deserto, e as colinas se vestem de alegria. Os campos se revestem de rebanhos e os vales se cobrem de trigo; eles exultam e cantam de alegria!
> SALMOS 65.11-13

Conheço um homem que ficou desempregado algumas vezes ao longo de sua trajetória profissional. A primeira vez, quando ele tinha 24 anos, se deu por um problema de saúde. Assim que adoeceu, entrou em licença médica, precisou percorrer diversas instâncias de perícia e, equivocadamente declarado curado, foi jogado de volta à empresa. Teve de pedir para ser demitido. Na segunda vez, já com 40 anos, foi mandado embora de onde trabalhava; dessa vez, foram seus empregadores que pediram que se demitisse.

Na primeira ocasião, aquele homem ficou cinco longos meses desempregado, pagando as contas graças a pequenos trabalhos *free-lancer* e ao seguro-desemprego do governo. Era solteiro, vivia com os pais, não tinha maiores obrigações ou dívidas e, mesmo assim, mergulhou num mar de ansiedade e medo. Será que conseguiria outro emprego? E como seria isso, se estava doente? O que fazer? Haveria luz no fim do túnel? O medo o acordava pela manhã, e a ansiedade não o deixava dormir à noite.

Na segunda ocasião, foram seis meses de desemprego, com as contas pagas novamente com trabalhos *free-lancer*, mas sem seguro-desemprego ou indenizações trabalhistas, visto que fora convidado a pedir demissão. Agora, porém, a situação era diferente de dezesseis anos antes. Já era casado, tinha uma filha de 1 ano e meio para sustentar e enfrentava outro processo grave de saúde: uma crise de estresse aguda. Curiosamente, agora não havia tanta ansiedade no coração daquele homem. Ele atravessou os 180 dias de vacas magras com paz de espírito.

O que mudou? Por que na primeira vez ele foi soterrado pelo medo e, na segunda, pela paz? O que aconteceu?

Jesus aconteceu.

No espaço de tempo entre uma demissão e outra, aquele homem conheceu a Cristo. O carpinteiro de Nazaré lhe estendeu sua graça, o salvou e se tornou seu Senhor. Sim, aquele homem converteu-se à fé cristã. Aos poucos, começou a estudar a Bíblia e a confiar nela, descobriu quem é o verdadeiro Deus e apegou-se às verdades sagradas. Não foi uma caminhada linear, é verdade; houve altos e baixos, erros e acertos. Mas o fato de ele conhecer Jesus fez toda a diferença.

Aquele homem não foi solidificado à toa na confiança que tinha em seu Deus. Ele trouxe para a vida prática de fé as verdades que leu nas Escrituras, em passagens como "O Senhor protege aqueles que o temem" (Sl 33.18); "Os leões podem passar necessidade e fome, mas os que buscam o Senhor de nada têm falta" (Sl 34.10); "O Senhor cuida da vida dos íntegros, e a herança deles permanecerá para sempre" (Sl 37.18); "O Senhor não deixa o justo passar fome" (Pv 10.3). Assim, ao estudar a Bíblia, suas verdades e promessas, o homem aprendeu que Deus não abandona seus filhos, mas cuida deles. Jesus mesmo afirmou isso:

> Observem as aves do céu: não semeiam nem colhem nem armazenam em celeiros; contudo, o Pai celestial as alimenta. Não têm vocês muito mais valor do que elas? Quem de vocês, por mais que se preocupe, pode

acrescentar uma hora que seja à sua vida? Por que vocês se preocupam com roupas? Vejam como crescem os lírios do campo. Eles não trabalham nem tecem. Contudo, eu lhes digo que nem Salomão, em todo o seu esplendor, vestiu-se como um deles. Se Deus veste assim a erva do campo, que hoje existe e amanhã é lançada ao fogo, não vestirá muito mais a vocês, homens de pequena fé? Portanto, não se preocupem, dizendo: "Que vamos comer?" ou "Que vamos beber?" ou "Que vamos vestir?" Pois os pagãos é que correm atrás dessas coisas; mas o Pai celestial sabe que vocês precisam delas. Busquem, pois, em primeiro lugar o Reino de Deus e a sua justiça, e todas essas coisas lhes serão acrescentadas. Portanto, não se preocupem com o amanhã, pois o amanhã trará as suas próprias preocupações. Basta a cada dia o seu próprio mal.
Mateus 6.26-34

Quantas verdades extraordinárias em uma única fala! Veja: temos muito valor. Não adianta nos preocuparmos. Deus conhece nossas necessidades e cuida delas. Não devemos nos angustiar quanto a comida, bebida e roupas. Se buscarmos em primeiro lugar as coisas de Deus, Deus proverá o restante. Tudo o que precisamos fazer é *confiar* nisso. E este é o conselho das Escrituras: "Conservem-se livres do amor ao dinheiro e contentem-se com o que vocês têm, porque Deus mesmo disse: 'Nunca o deixarei, nunca o abandonarei'. Podemos, pois, dizer com *confiança*: 'O Senhor é o meu ajudador, não temerei'" (Hb 13.5-6).

Confiança.

Quando aquele homem de quem falei no início do texto ficou desempregado pela segunda vez, ele confiou em Cristo. Por isso, foi capaz de dizer como o profeta Habacuque: "Mesmo não florescendo a figueira, e não havendo uvas nas videiras, mesmo falhando a safra de azeitonas, não havendo produção de alimento nas lavouras, nem ovelhas no curral nem bois nos estábulos, *ainda assim eu exultarei no Senhor e me alegrarei no Deus da minha salvação*" (Hc 3.17-18).

Como é possível alguém exultar e se alegrar em Deus em meio a tanta escassez, carestia e falta de perspectiva?

Confiança.

E como eu posso afirmar isso com segurança total e absoluta? Porque aquele homem se chama Maurício Zágari.

Uma mensagem de esperança

Se você diz:

— *Tenho medo da falta de dinheiro...*

Deus tem um recado para você:

— *Busque em primeiro lugar meu reino e minha justiça, e todas as coisas de que você precisa lhe serão acrescentadas. Pode confiar.*

Confie nestas palavras

Já fui jovem e agora sou velho, mas nunca vi o justo desamparado, nem seus filhos mendigando o pão.

Salmos 37.25

Entregue suas preocupações ao Senhor, e ele o susterá; jamais permitirá que o justo venha a cair.

Salmos 55.22

Como é feliz aquele cujo auxílio é o Deus de Jacó, cuja esperança está no Senhor, no seu Deus, que fez os céus e a terra, o mar e tudo o que neles há, e que mantém a sua fidelidade para sempre!

Salmos 146.5-6

Aos pés do Senhor

Pai provedor e sustentador, obrigado pelo pão nosso, que nunca falta sobre a mesa. Ajuda-me em minhas limitações e acalma minha ansiedade. Que eu jamais tenha medo da escassez, pela certeza de que, se eu buscar em primeiro lugar teu reino e tua justiça, todas as outras coisas me serão acrescentadas. Amém.

7

Confiança que vence o medo da violência

O Senhor é a minha rocha, a minha fortaleza e o meu libertador; o meu Deus é a minha rocha, em que me refugio; o meu escudo e o meu poderoso salvador. Ele é a minha torre alta, o meu abrigo seguro. Tu, Senhor, és o meu salvador, e me salvas dos violentos.

2Samuel 22.2-3

Gosto muito de assistir a documentários sobre o reino animal. Um deles em especial me chamou a atenção. Tinha como tema um bichinho que vive em tocas escavadas no chão, em regiões secas de algumas partes do mundo. Esse animalzinho tem muitos predadores, como serpentes, carnívoros de médio porte e até algumas aves, o que significa que, tão logo sai da toca, está constantemente exposto a ataques. Ainda assim, ele se arrisca, pois precisa de alimento e água. O documentário acompanhou um ser dessa espécie que, no entanto, passou por uma experiência trágica. Depois de ter sido perseguido e quase devorado por uma raposa, o amedrontado animalzinho se enfurnou na toca e não saiu mais. Faminto e sedento, até chegava à entrada do buraco, esticava a cabeça para fora... mas não tinha coragem de sair. Embora o predador já tivesse ido embora havia dias, o animalzinho, traumatizado, não tinha coragem de pôr a patinha para fora. O medo de sofrer nova violência foi tão esmagador que, para não ser morto, o bichinho acabou literalmente morrendo de fome.

Muitas vezes, o medo da violência faz o mesmo conosco. Vivemos dias difíceis, num mundo extremamente violento, e isso nos apavora. Ter cautela é sempre recomendável, mas há quem passe dos limites. Muitos ficam tão ansiosos e desenvolvem tanto medo de sair à rua que acabam sucumbindo. Trancam-se na toca, atrás de grades, cercas e alarmes. Se precisam sair, vão sem paz. Se os filhos saem para algum compromisso, telefonam de meia em meia hora para saber como e onde estão. Se o cônjuge demora alguns segundos a mais que o previsto, não conseguem relaxar. A violência de fato existe, mas essas pessoas tornam-se tão escravizadas pela ansiedade que sofrem muito mais pela expectativa rotineira de sofrer violência do que pela violência em si.

Você se vê nessa descrição?

Se a resposta é *sim,* então precisa carregar sempre acesa diante de seus olhos uma verdade: "O Senhor protege aqueles que o temem, aqueles que firmam a esperança no seu amor [...]. Nele se alegra o nosso coração, pois *confiamos* no seu santo nome" (Sl 33.18,20). Deus protege você. Mas você precisa confiar em seu santo nome, isto é, depositar sua confiança nele. Quem age dessa maneira pode dizer como o salmista: "Mesmo quando eu andar por um vale de trevas e morte, não temerei perigo algum, pois tu estás comigo; a tua vara e o teu cajado me protegem" (Sl 23.4).

É verdade que as estatísticas assustam. Segundo o Mapa da Violência, 56.337 pessoas foram assassinadas no Brasil ao longo de um ano, o equivalente a 29 mortos para cada grupo de cem mil habitantes — quase três vezes mais que o limite considerado "suportável" pela Organização Mundial da Saúde (OMS).[1] É possível sentir-se seguro diante de um quadro como esse?

Humanamente falando, não. Biblicamente falando, sem dúvida alguma!

Que garantias temos? O fato de que "Deus não é homem para que minta" (Nm 23.19), e, se ele não mente, podemos confiar que suas promessas são verdadeiras. Que promessas? "O anjo do Senhor é sentinela ao redor daqueles que o temem, e os livra. Provem, e vejam como o Senhor é bom. Como é feliz o homem que nele se refugia!" (Sl 34.7-8). Promessas como essa mostram que não adianta buscar refúgio na toca; é preciso se refugiar no único capaz de nos proteger de qualquer pessoa, a qualquer hora e em qualquer lugar.

Você pode achar, por exemplo, que o lugar mais seguro para seus filhos pequenos é no conforto e na segurança do lar. Mas sabia que, segundo dados do Ministério da Saúde, a principal causa de morte de crianças de até 9 anos no Brasil são acidentes que ocorrem justamente dentro de casa, como afogamentos, quedas, queimaduras, intoxicações e asfixia com alimentos?[2] Isso mostra que não importa o lugar, "Se não é o Senhor que vigia a cidade, será inútil a sentinela montar guarda" (Sl 127.1).

O animalzinho morreu na toca porque lhe faltava *confiança* e lhe sobrava *medo*. Se você se identifica com isso, lembre-se sempre do que disse o próprio Jesus:

> Não tenham medo dos que matam o corpo, mas não podem matar a alma. [...] Não se vendem dois pardais por uma moedinha? Contudo, nenhum deles cai no chão sem o consentimento do Pai de vocês. Até os cabelos da cabeça de vocês estão todos contados. Portanto, não tenham medo; vocês valem mais do que muitos pardais!
>
> Mateus 10.28-31

Se a violência do mundo lhe impõe tamanho medo, a ponto de impedir que tenha uma vida feliz, o que você precisa é de confiança. Jesus deixou claro que a fé se opõe ao medo. Certa vez, ele estava num barco com os discípulos quando veio uma violenta tempestade. Apavorados, eles o acordaram e clamaram por socorro. Jesus acalmou a tormenta, voltou-se para os discípulos e perguntou: "Por que vocês estão com tanto medo? Ainda não têm fé?" (Mc 4.40).

Não tenha tanto medo. Tenha fé. Confie. Pois, se Deus estende a mão em sua direção para ajudá-lo a sair da toca e encarar o mundo violento à sua frente, tudo o que precisa fazer é estender, em retorno, a sua confiança. E, se em algum momento você fraquejar, lembre-se do trecho mais direto e extraordinário da Bíblia sobre o assunto:

> Aquele que habita no abrigo do Altíssimo e descansa à sombra do Todo-poderoso pode dizer ao SENHOR: "Tu és o meu refúgio e a minha fortaleza, o meu Deus, em quem confio". Ele o livrará do laço do caçador e do veneno mortal. Ele o cobrirá com as suas penas, e sob as suas asas você encontrará refúgio; a fidelidade dele será o seu escudo protetor. Você não temerá o pavor da noite, nem a flecha que voa de dia, nem a peste que se move sorrateira nas trevas, nem a praga que devasta ao meio-dia. Mil poderão cair ao seu lado, dez mil à sua direita, mas nada o atingirá. Você simplesmente olhará, e verá o castigo dos ímpios.
> Se você fizer do Altíssimo o seu abrigo, do SENHOR o seu refúgio, nenhum mal o atingirá, desgraça alguma chegará à sua tenda. Porque a seus anjos ele dará ordens a seu respeito, para que o protejam em todos os seus caminhos; com as mãos eles o segurarão, para que você não tropece em alguma pedra. [...] Vida longa eu lhe darei, e lhe mostrarei a minha salvação.
>
> Salmos 91.1-12,16

Uma mensagem de esperança

Se você diz:
— *Tenho medo da violência...*

Deus tem um recado para você:
— *Se você fizer de mim seu abrigo, eu o protegerei e lhe darei resposta quando clamar meu nome. Pode confiar.*

Confie nestas palavras

O Senhor vive! Bendita seja a minha Rocha! Exaltado seja Deus, a Rocha que me salva!

2Samuel 22.47

Eu clamo a ti, ó Deus, pois tu me respondes; inclina para mim os teus ouvidos e ouve a minha oração. [...] Protege-me como à menina dos teus olhos; esconde-me à sombra das tuas asas, dos ímpios que me atacam com violência, dos inimigos mortais que me cercam.

Salmos 17.6,8-9

Tu me livraste dos meus inimigos; sim, fizeste-me triunfar sobre os meus agressores, e de homens violentos me libertaste. Por isso eu te louvarei entre as nações, ó Senhor; cantarei louvores ao teu nome.

Salmos 18.48-49

Aos pés do Senhor

Pai protetor, obrigado por seres minha rocha, minha fortaleza, em quem me refugio! Guarda-me do mal e de todos os que buscam me causar dano. Deus todo-poderoso, és o meu abrigo, e em ti confio. Protege-me, por tua graça, e livra-me do medo da violência. Amém.

8

Confiança que vence o medo de não dar conta de tudo o que se tem para fazer

> Lancem sobre ele toda a sua ansiedade, porque ele tem cuidado de vocês.
>
> 1Pedro 5.7

Acorda, faz café, veste as crianças, toma banho correndo, leva os filhos à escola, chega ao trabalho atrasado, cumpre tarefas, atende o telefone, o chefe pressiona, os colegas irritam, almoça correndo, vai ao banco, paga as contas, volta ao trabalho, mais metas, mais pressão, sai correndo, passa no mercado, passa na farmácia, atende o celular, pega as crianças, leva à natação, corre para a ginástica, volta para casa, toma banho, atende o celular, correria das crianças, dá bronca nelas, hora de dormir, o cônjuge cobra atenção, namora correndo, desaba na cama...

Ufa!

Pode ser que você não tenha um dia exatamente igual a esse, mas... será que se identificou de algum modo? Para muitos, essa é uma das grandes causas da ansiedade do século 21: coisas demais para fazer e tempo de menos. Se para os homens já é difícil, para as mulheres, em especial, é terrivelmente exaustivo. É preciso conciliar os papéis de mãe, esposa, dona de casa, filha, profissional... Chega uma hora em que parece simplesmente impossível dar conta de tudo.

Para piorar, a impressão que dá é que ninguém percebe o sufoco. O cônjuge cobra atenção, o chefe cobra resultados, os pais cobram visitas, os filhos cobram tudo, o cartão de crédito cobra a fatura. Não dá! Mas tem de dar, o que fazer? Quando você tem tempo de parar para pensar e tentar organizar a rotina, descobre que qualquer coisa que mudar fará falta. O resultado? Ansiedade. Estafa. Estresse. Parece que alguma hora a máquina vai pifar.

Se você está nessa situação, calma.

Pare.

Respire.

Respire de novo, bem fundo.

Mais uma vez.

Agora, sim, vamos pensar.

Quer visualizar um caminho menos tortuoso em seu dia a dia? Confie em Deus. "Confie no Senhor de todo o seu coração e não se apoie em seu próprio entendimento; reconheça o Senhor em todos os seus caminhos, e ele endireitará as suas veredas" (Pv 3.5-6).

Você confia na vontade do Senhor? Ou será que tem se guiado pelas demandas do relógio? Lembre-se da determinação bíblica: "Tenham cuidado com a maneira como vocês vivem; que não seja como insensatos, mas como sábios, aproveitando ao máximo cada oportunidade, porque os dias são maus" (Ef 5.15-16).

As Escrituras nos lembram que precisamos zelar por nosso modo de viver, não segundo as prioridades do mundo, mas remindo o tempo de acordo com a vontade de Deus. Se, na prática, você não consegue discernir muito bem qual é a vontade do Senhor diante da sua rotina repleta de afazeres, é fundamental lembrar-se de priorizar o que é... prioritário. Quando chegar ao ponto em que as prioridades lotaram seu dia, comece a eliminar o que não cabe mais nele. E quais são as prioridades? Compras no *shopping*? Aquisição de bens materiais? Vejamos o que a Bíblia diz.

Não se preocupem, dizendo: "Que vamos comer?" ou "Que vamos beber?' ou "Que vamos vestir?" Pois os pagãos é que correm atrás dessas coisas; mas o Pai celestial sabe que vocês precisam delas. Busquem, pois, em primeiro lugar o Reino de Deus e a sua justiça, e todas essas coisas lhes serão acrescentadas.

Mateus 6.31-33

Eis a resposta: a prioridade máxima é buscar o reino de Deus e a sua justiça. Você tira tempo em meio à loucura do dia a dia para ter momentos a sós com o Senhor, períodos de oração e intimidade com ele? Lê as Escrituras para conhecer os pensamentos de Deus? Como é possível confiar em alguém se não o conhecemos? Então, estabeleça em sua vida, antes de tudo mais, tempo para Deus. "Ame o Senhor, o seu Deus, de todo o seu coração, de toda a sua alma, de todo o seu entendimento e de todas as suas forças" (Mc 12.30).

Em seguida, vem a família. "Se alguém não cuida de seus parentes, e especialmente dos de sua própria família, negou a fé e é pior que um descrente" (1Tm 5.8). Outras atividades jamais devem sobrepujar estar junto com o cônjuge, os filhos e os pais. Tem conversado com seus parentes? Tem tirado tempo para namorar o cônjuge, ouvir as dificuldades dos pais, escutar os anseios dos filhos?

Se você é homem, lembre-se de devotar-se à esposa: "Maridos, ame cada um a sua mulher, assim como Cristo amou a igreja e entregou-se por ela" (Ef 5.25). Se você é mulher, lembre-se de devotar-se ao esposo: "Uma esposa exemplar; feliz quem a encontrar! [...] Seu marido tem plena confiança nela e nunca lhe falta coisa alguma" (Pv 31.10-11). Se você é pai, lembre-se de devotar-se aos filhos: "Os filhos são herança do Senhor, uma recompensa que ele dá" (Sl 127.3). Se você é filho, lembre-se de devotar-se aos pais: "Meu filho, obedeça aos mandamentos de seu pai e não abandone o ensino de sua mãe" (Pv 6.20).

Uma vez que tenha organizado seu tempo para se relacionar com o Senhor e com a família, só então vêm as atribuições profissionais. No mundo de hoje, pode soar estranho dizer isso, mas é o que a sabedoria bíblica nos ensina. E, se confia que Deus cuidará de você caso priorize o que é prioridade segundo a vontade dele, conseguirá viver sem o estresse causado pelas exigências do trabalho. "Como é feliz quem teme o Senhor, quem anda em seus caminhos! Você comerá do fruto do seu trabalho, e será feliz e próspero" (Sl 128.1-2).

Se você percebe que está imerso em ansiedade porque não dá conta de tudo o que tem de fazer, chegou o momento de renovar a mente. Reformular as prioridades. Pôr em primeiro lugar o que é importante para Deus. Favoreça os relacionamentos, não o acúmulo de bens. Cursos e atividades extras são importantes, mas nem de longe tanto quanto Deus. Trabalho é importante, sim, mas não tanto quanto a família. Distribua seu tempo pelas prioridades. Nas horas que sobrarem, encaixe o resto — e o que não se encaixar, descarte.

Confie no padrão bíblico de prioridades. Elimine da sua rotina o que não deveria ocupar tanto do seu tempo e você verá que, junto, estará eliminando também a ansiedade.

Uma mensagem de esperança

Se você diz:
— Tenho medo de não dar conta de tudo o que tenho para fazer...

Deus tem um recado para você:
— Estabeleça prioridades segundo a minha vontade, e tudo ficará bem. Pode confiar.

Confie nestas palavras

"Os meus pensamentos não são os pensamentos de vocês, nem os seus caminhos são os meus caminhos", declara o SENHOR. "Assim como os céus são mais altos do que a terra, também os meus caminhos são mais altos do que os seus caminhos, e os meus pensamentos, mais altos do que os seus pensamentos."

Isaías 55.8-9

Descobri que não há nada melhor para o homem do que ser feliz e praticar o bem enquanto vive. Descobri também que poder comer, beber e ser recompensado pelo seu trabalho é um presente de Deus. Sei que tudo o que Deus faz permanecerá para sempre; a isso nada se pode acrescentar, e disso nada se pode tirar.

Eclesiastes 3.12-14

Cristo é fiel como Filho sobre a casa de Deus; e esta casa somos nós, se é que nos apegamos firmemente à confiança e à esperança da qual nos gloriamos.

Hebreus 3. 6

Aos pés do Senhor

Pai de amor, quantas são minhas atribuições! Quantos compromissos! É tanta coisa a fazer que meu coração se vê tomado de ansiedade, pelo medo de não conseguir dar conta de tudo! Ajuda-me a estabelecer prioridades — e que sejam as certas. Que minha rotina seja governada pela tua vontade, para que eu ande no caminho mais excelente. Amém.

9

CONFIANÇA QUE VENCE O MEDO DO IMPREVISÍVEL

> Nada, em toda a criação, está oculto aos olhos de Deus. Tudo está descoberto e exposto diante dos olhos daquele a quem havemos de prestar contas.
>
> HEBREUS 4.13

O imprevisível invadiu minha vida com a força do impacto de um avião na manhã de 11 de setembro de 2001. Lembro-me como se fosse hoje: eu tinha acabado de acordar e me arrumava para trabalhar quando minha esposa me telefonou, dizendo que ligasse a televisão, rápido. Assim que as imagens apareceram na tela, tive a mesma reação de milhões de pessoas ao redor do planeta. Ver a torre do World Trade Center em chamas parecia cena de filme de Hollywood. Minutos depois, quando eu acreditava que nada mais surpreendente poderia acontecer, outro evento imprevisível: um segundo avião cruzou os ares e acertou a segunda torre do complexo de edifícios. A sensação foi de espanto absoluto. Que durou mais alguns minutos, até que o assombro atingiu seu ápice: os dois arranha-céus desmoronaram. Em questão de segundos, as torres, que pareciam monumentos à solidez e à segurança, viraram escombros envoltos numa gigantesca nuvem de fumaça negra.

A verdade é que nem eu, nem os milhares de pessoas que estavam no complexo do World Trade Center naquele dia, nem qualquer outro ser humano fora do grupo de terroristas que provocou o ataque poderiam prever uma tragédia tão surreal.

Os queixos caídos por todo o mundo foram motivados por algo que nos ronda e nos espreita todos os dias: o imprevisível.

O imprevisível é uma força amedrontadora e preocupante, que pode se apresentar não só como um avião que se choca contra um edifício, ao vivo, via satélite, mas também como uma doença que nos acomete, um assaltante escondido atrás do poste, um filho envolvido num acidente, um chefe que comunica sua demissão, um cônjuge que decide sair de casa, até um tombo no meio da rua. Como disse o sábio rei Salomão: "Não se gabe do dia de amanhã, pois você não sabe o que este ou aquele dia poderá trazer" (Pv 27.1).

O mais curioso é que é totalmente previsível que teremos de encarar o imprevisível. Sim, seremos pegos de surpresa. O que será? Quando? Onde? Com quem? Que consequências trará? Quanto vai custar? Quem vai consertar? E será que terá conserto? Perguntas que não têm resposta, e esse é o maior problema. Só o silêncio e a escuridão se apresentam como eco às indagações do coração aflito.

Mas há uma boa notícia. O imprevisível só existe para quem não consegue prever o que acontecerá no futuro, para quem não tem como antever os fatos — nós, seres humanos. Porém, se confiamos que há alguém capaz de prever o que vem pela frente, que enxerga os fatos muito antes de eles acontecerem, o conceito de "imprevisível" simplesmente deixa de fazer sentido. E esse alguém existe. Deixo que ele mesmo se apresente:

> Eu sou Deus, e não há nenhum outro; eu sou Deus, e não há nenhum como eu. Desde o início faço conhecido o fim, desde tempos remotos, o que ainda virá. Digo: Meu propósito permanecerá em pé, e farei tudo o que me agrada. Do oriente convoco uma ave de rapina;

de uma terra bem distante, um homem para cumprir o meu propósito. O que eu disse, isso eu farei acontecer; o que planejei, isso farei.

Isaías 46.9-11

A mensagem é clara: desde tempos remotos Deus sabe como será o fim das coisas. E tudo está sob o controle divino. Portanto, o medo do imprevisível transforma-se em confiança quando descobrimos que, para o Senhor que cuida de nós, tudo é previsível. Nada, absolutamente nada, pega Deus de surpresa. Mas, porque não temos essa capacidade de presciência e onisciência, só podemos confiar naquele que "sabe todas as coisas" (1Jo 3.20).

De fato, aos olhos humanos, o minuto seguinte é sempre um mistério. Há uma cortina que nos separa do futuro e nos mantém no espaço da ignorância. E ignorância gera medo do desconhecido. Vivemos imersos em probabilidades e possibilidades, enquanto as certezas são poucas. É por isso que o improvável é tão provável. Tiago escreveu:

> Ouçam agora, vocês que dizem: "Hoje ou amanhã iremos para esta ou aquela cidade, passaremos um ano ali, faremos negócios e ganharemos dinheiro". Vocês nem sabem o que lhes acontecerá amanhã! Que é a sua vida? Vocês são como a neblina que aparece por um pouco de tempo e depois se dissipa. Ao invés disso, deveriam dizer: "Se o Senhor quiser, viveremos e faremos isto ou aquilo".
>
> Tiago 4.13-15

Assim, embora sejamos limitados no relacionamento com o que está por vir, Deus é totalmente íntimo do futuro, e isso desde tempos imemoriais: "Então o Rei dirá aos que estiverem à sua direita: 'Venham, benditos de meu Pai! Recebam como herança o Reino que lhes foi *preparado desde a criação do mundo*'" (Mt 25.34); "Deus nos escolheu nele *antes da criação do mundo*, para sermos santos e irrepreensíveis em sua presença" (Ef 1.4); "Todos os habitantes da terra adorarão a besta, a saber, todos aqueles que não tiveram seus nomes escritos no livro da vida do Cordeiro que foi morto *desde a criação do mundo*" (Ap 13.8).

Você confia na Palavra de Deus? Pois é ela quem diz:

> Deus age em todas as coisas para o bem daqueles que o amam, dos que foram chamados de acordo com o seu propósito. Pois aqueles que de antemão conheceu, também os predestinou para serem conformes à imagem de seu Filho, a fim de que ele seja o primogênito entre muitos irmãos. E aos que predestinou, também chamou; aos que chamou, também justificou; aos que justificou, também glorificou.
>
> Romanos 8.28-30

Se você ama a Deus, sabe que ele age em todas as coisas para o seu bem. Quando essa percepção se torna clara, as sombras se dissipam, o silêncio é substituído pelo louvor, o medo dá espaço à confiança e você passa a caminhar seguro, sem ansiedade nem temor do que poderá ocorrer. Afinal, você está nas mãos daquele que tem o conhecimento de tudo, de eternidade a eternidade: "Não tenha medo. Eu sou o Primeiro e o Último. Sou Aquele que Vive. Estive morto mas agora estou vivo para todo o sempre!" (Ap 1.17-18).

Uma mensagem de esperança

Se você diz:
— *Tenho medo do imprevisível...*

Deus tem um recado para você:
— *Não há nada que seja imprevisível para mim, e eu ajo em todas as coisas para o bem daqueles que me amam. Pode confiar.*

Confie nestas palavras

Eu sou Deus, e não há nenhum outro; eu sou Deus, e não há nenhum como eu. Desde o início faço conhecido o fim, desde tempos remotos, o que ainda virá. Digo: Meu propósito permanecerá em pé, e farei tudo o que me agrada.

Isaías 46.9-10

Nada, em toda a criação, está oculto aos olhos de Deus. Tudo está descoberto e exposto diante dos olhos daquele a quem havemos de prestar contas.

Hebreus 4.13

Porque Deus é maior do que o nosso coração e sabe todas as coisas.

1João 3.20

Aos pés do Senhor

Pai querido, sei que para ti não há nada que seja imprevisível. Tu existes fora do tempo, e conheces passado, presente e futuro como uma só realidade. Se vivo ansioso, com medo do que não posso prever, quero descansar em ti, por confiar que sabes de tudo e nada te surpreende. Obrigado porque tudo contribui para o meu bem, segundo o teu propósito. Amém.

10

Confiança que vence o medo do improvável

> Os justos, e os sábios, e os seus feitos estão nas mãos de Deus; e, se é amor ou se é ódio que está à sua espera, não o sabe o homem. Tudo lhe está oculto no futuro.
>
> Eclesiastes 9.1, RA

Escrevo este texto no exato momento em que me encontro dentro de um avião, voando do Rio de Janeiro a João Pessoa, a fim de pregar em uma igreja e participar de uma tarde de dedicatórias numa livraria. Viajo bastante por via aérea, e é muito comum encontrar pessoas que têm pavor de voar. Ao meu lado, neste instante, está um homem parrudo, com o dobro do meu tamanho, que carrega um exemplar de *A arte da guerra*, de Sun Tzu. Acredite: é um sujeito de meter medo. Sabe aquele tipo que você contrataria como guarda-costas sem pensar duas vezes? É ele. Porém, a cada pequena trepidação da aeronave, o homem agarra os braços da poltrona, enrijece o tronco e fecha os olhos, apavorado. Parece um menino assustado.

Uma pesquisa realizada pela Rede Globo mostrou que o maior medo de 2,67% dos entrevistados era o de andar de avião.[1] Curiosamente, as estatísticas mostram que esse é um dos meios de transporte mais seguros que existem: a chance de morrer em um acidente aéreo é de 1 em 11 milhões. Para ter uma ideia do que isso significa, a chance de perder a vida em um acidente de carro é de 1 em 5 mil. É mais provável, até, ser alvo de um ataque de tubarão, com chance de 1 em 3,7 milhões. Além disso, ao contrário do que se pensa, 95,7% das pessoas que sofrem acidentes aéreos sobrevivem a eles. Segundo estatísticas, seria preciso viajar em uma aeronave todos os dias por dez mil anos até morrer em um acidente do tipo.[2]

Além disso, quando iniciei a pesquisa para escrever este livro, chamou minha atenção o fato de que o medo mais comum entre 10% dos entrevistados do mesmo estudo é o "de águas profundas", isto é, o temor de mergulhar em grandes profundidades ou de nadar em locais em que o fundo fica muito abaixo da superfície. Nunca imaginei isso. Afinal, não é uma situação pela qual passemos frequentemente. Mas, depois, refletindo a respeito, percebi que o medo de voar e o de águas profundas carregam algo em comum: são, na verdade, *medo do improvável*.

Quando você está dentro de um avião, tudo parece seguro. Há normas de aviação, centros de controle, pilotos gabaritados, estatísticas extremamente favoráveis. Tudo racionalmente ótimo. Só que, aí, vem à mente aquele pensamento: "Mas e se...?". O famoso "Mas e se...?" é um poderosíssimo aliado do medo e da ansiedade, pois lança pela janela, sem paraquedas, toda lógica, toda estatística, todo certificado de segurança... e joga no seu colo a apavorante possibilidade do improvável.

"Mas e se houver um defeito no motor?" "Mas e se um temporal derrubar o avião?" "Mas e se houver uma falha no sistema de controle?" Improvável. O medo de águas profundas segue a mesma lógica. Suponha que você esteja mergulhando. "Mas e se o tanque de ar estiver com defeito?" "Mas e se aparecer um tubarão?" "Mas e se eu passar mal e não conseguir voltar à tona?" Improvável. Mesmo assim... que medo.

O fato é que vivemos constantemente sob a influência maligna da ansiedade causada pelas mais variadas, inesperadas e improváveis situações. Não saio de casa esperando ser assaltado, mas e se for? Conheci uma fisioterapeuta que, andando por uma das principais avenidas de Copacabana, foi atingida por uma janela — isso mesmo, uma janela soltou-se das esquadrias e despencou sobre ela. Quem diria que isso seria possível? Muito improvável! "Mas e se..."

"Ninguém sabe quando virá a sua hora: Assim como os peixes são apanhados numa rede fatal e os pássaros são pegos numa armadilha, também os homens são enredados pelos tempos de desgraça que caem inesperadamente sobre eles" (Ec 9.12). Não há como se antecipar ao improvável e, portanto, não há como se proteger dele. Se você anda de *skate*, por exemplo, pode se precaver de se machucar em eventuais tombos ao usar capacete, cotoveleira, joelheira. Mas... e o improvável? Não há proteção ou acolchoamento contra ele.

Quando você se dá conta de que existem aspectos da vida que, embora improváveis, acontecem e podem gerar perdas e dores, seus olhos se elevam para o único que tem poder de conduzir as situações da vida.

> Levanto os meus olhos para os montes e pergunto: De onde me vem o socorro? O meu socorro vem do Senhor, que fez os céus e a terra. Ele não permitirá que você tropece; o seu protetor se manterá alerta, sim, o protetor de Israel não dormirá; ele está sempre alerta! O Senhor é o seu protetor; como sombra que o protege, ele está à sua direita. De dia o sol não o ferirá, nem a lua, de noite. O Senhor o protegerá de todo o mal, protegerá a sua vida. O Senhor protegerá a sua saída e a sua chegada, desde agora e para sempre.
>
> Salmos 121

Nossa confiança na proteção divina contra o improvável se baseia na certeza de que "bondade e a fidelidade me acompanharão todos os dias da minha vida" (Sl 23.6), pois o Senhor é bom e fiel e cuida de nós, como Pai zeloso que é.

Você vai subir aos céus? Vai descer aos confins dos mares? Vai a qualquer lugar do mundo em que o improvável pode alcançá-lo? Então confie no que a Bíblia diz a respeito daquele que ama e guarda você: "Se eu subir aos céus, lá estás; se eu fizer a minha cama na sepultura, também lá estás. Se eu subir com as asas da alvorada e morar na extremidade do mar, mesmo ali a tua mão direita me guiará e me susterá" (Sl 139.8-10).

Sim, vá com paz e confiança no coração, sabendo que não estará só: o Deus que tudo pode e que o acompanha aonde for jamais o desamparará.

Uma mensagem de esperança

Se você diz:
— *Tenho medo do improvável...*

Deus tem um recado para você:
— *Minha bondade e fidelidade o acompanharão todos os dias da tua vida. Pode confiar.*

Confie nestas palavras

O justo jamais será abalado; para sempre se lembrarão dele. Não temerá más notícias; seu coração está firme, confiante no Senhor. O seu coração está seguro e nada temerá.

Salmos 112.6-8

Que o Deus da esperança os encha de toda alegria e paz, por sua confiança nele, para que vocês transbordem de esperança, pelo poder do Espírito Santo.

Romanos 15.13

[Em Deus] temos colocado a nossa esperança de que continuará a livrar-nos, enquanto vocês nos ajudam com as suas orações. Assim muitos darão graças por nossa causa, pelo favor a nós concedido em resposta às orações de muitos.

2Coríntios 1.10-11

———————— Aos pés do Senhor ————————

Pai bendito, vivo com medo de que algo improvável e ruim ocorra em minha vida. Isso me afeta e muitas vezes me paralisa. Fortalece minha fé, para que eu enxergue tua bondade e tua fidelidade aonde quer que eu vá. Que o medo seja eliminado de meu coração, pela confiança em que tu jamais me desamparas. Agradeço pela tua poderosa mão, sempre estendida sobre mim. Amém.

11

Confiança que vence o medo de envelhecer

> Levantem-se na presença dos idosos, honrem os anciãos, temam o seu Deus. Eu sou o Senhor.
> Levítico 19.32

O medo de envelhecer é algo curioso. Ninguém deseja morrer cedo, mas, quando se fala em ficar velho, logo surgem montes de *poréns*. Ao que parece, muitos de nós têm pânico de perder a vida precocemente, mas também não veem com bons olhos o envelhecimento. A questão é que... bem, não existe alternativa: ou partimos desta vida cedo ou teremos de conviver com a velhice. Ou um, ou outro.

Há quem faça tudo o que estiver ao alcance para tentar se convencer e à sociedade de que não está envelhecendo. Daí vêm cirurgias plásticas, aplicações de *botox*, cremes para evitar manchas e, até mesmo, pequenas atitudes culturais, como a velha história de não querer dizer a idade. Quando eu era criança, minha mãe me ensinava que era falta de educação perguntar quantos anos tinha uma senhora. Nunca entendi isso. Por quê? Qual o mal de saber há quantos anos uma pessoa está sobre a terra? Na verdade, essa atitude é reflexo da ideia de que passar de certa idade é ruim. A velhice é vista, por esse ponto de vista, quase como uma ofensa, uma deformidade, algo a ser escondido ao máximo. Mas... será que Deus vê desse modo?

Não, não vê. E quero mostrar isso a você.

Se analisar com cuidado, verá que o medo de envelhecer, em si, na verdade não existe; ele é a expressão de outros medos. Há cinco principais: 1) Se você envelhece, significa que o momento da morte está cada vez mais perto; o medo, nesse caso, é de morrer, e não de envelhecer. 2) Quanto mais velho você é, mais suscetível a doenças e problemas de saúde; assim, surge o temor daquilo de ruim que as moléstias e a corrupção do corpo causam. 3) Há ainda o receio de ser desamparado pela família, de perder os amigos e ter de viver em solidão. 4) Pessoas mais velhas tendem a depender mais de outros, o que acaba levando ao medo da perda da autonomia e da independência. (Tenho uma amiga que sempre diz: "Meu medo não é de morrer nem de ficar velha, é de precisar depender dos outros"). 5) Uma sensação de inadequação, resultado de uma sociedade que estigmatiza o idoso como incapaz e inadequado, em que "velho" ganha sentido pejorativo.

Essas preocupações precisam ser enfrentadas. Até porque, estatisticamente, se você vive no Brasil, a probabilidade é que viverá bastante. Entre 1980 e 2013, a expectativa de vida média do brasileiro de ambos os sexos subiu de 62,5 anos para 74,9, segundo dados do Instituto Brasileiro de Geografia e Estatística (IBGE).[1]

Em seu livro *A bela velhice*,[2] a antropóloga Mirian Goldenberg mostra o resultado de uma pesquisa que desenvolveu com 5 mil pessoas, homens e mulheres, de 18 a 90 anos, para compreender como elas encaravam a passagem do tempo. Segundo o estudo, até os 59 anos, cerca de 38% das mulheres temem envelhecer, enquanto 25% dos homens compartilham a mesma aflição. Os medos são os mesmos: a possibilidade de ter limitações físicas, de depender dos outros, de ser abandonado, de perder a memória, de ficar sem dinheiro. Os homens, especificamente, destacaram a preocupação de ficar inúteis, chatos, deprimidos e sem atividades.

Todos os medos associados à velhice têm a mesma solução: a necessidade de buscar verdades bíblicas que nos deem confiança em Deus para vencê-los. Então, se você tem medo de envelhecer, precisa trabalhar isso, a fim de enxergar a terceira idade como Deus enxerga.

Um aspecto fundamental da idade avançada é que a Bíblia a aponta como uma bênção. "A beleza dos jovens está na sua força; a glória dos idosos, nos seus cabelos brancos" (Pv 20.29). Quando o profeta Joel profetizou acerca do derramamento do Espírito Santo no dia de Pentecoste, deixou claro que os idosos seriam usados por Deus: "E, depois disso, derramarei do meu Espírito sobre todos os povos. Os seus filhos e as suas filhas profetizarão, os velhos terão sonhos, os jovens terão visões" (Jl 2.28, cf. At 2.17).

Não, a terceira idade não é período de descarte. Biblicamente, a velhice é uma etapa produtiva da vida, em que as pessoas continuam a ter enorme importância para Deus e para a sociedade. Nesse sentido, o quinto dos Dez Mandamentos é revelador: "Honra teu pai e tua mãe, a fim de que tenhas vida longa na terra que o Senhor, o teu Deus, te dá" (Êx 20.12). Reparou qual é a recompensa que o Criador promete a quem honrar pai e mãe? *Ter vida longa na terra*. E como poderia Deus recompensar alguém com algo que fosse ruim?

Abraão, por exemplo, tornou-se pai com 100 anos, e sua mulher, Sara, foi mãe aos 90. Moisés tornou-se libertador do povo de Deus aos 80 anos. Zacarias, cunhado de Maria, mãe de Jesus, gerou João Batista na terceira idade. Estima-se que o apóstolo João tivesse mais de 80 anos quando escreveu o Apocalipse. Fica claro, então, que o Pai celestial não vê a velhice como época de inutilidade, mas uma fase produtiva, em que a pessoa pode empreender realizações importantes.

Considero especialmente significativa a forma usada pelas Escrituras para se referirem ao final da vida do rei Davi: "Davi, filho de Jessé, reinou sobre todo o Israel. [...] Morreu em boa velhice, tendo desfrutado vida longa, riqueza e honra" (1Cr 29.26, 28). *Boa velhice*. Que bela qualificação! A Bíblia não diz algo como "Davi morreu tendo suportado a velhice" ou "Davi morreu depois de amargar as dificuldades da terceira idade". Nada disso. A velhice do rei foi chamada de *boa*. Desfrutar longos anos e atingir a boa velhice: essa deve ser a nossa meta, algo pelo que ansiar, e não uma realidade que nos gere ansiedade ou medo.

Se alcançar idade avançada é uma dádiva, Deus mostra que não chegar a ela é motivo de tristeza. A Bíblia nos conta a história do sacerdote Eli, que tinha filhos extremamente desobedientes, "ímpios; [que] não se importavam com o Senhor" (1Sm 2.12). Como castigo pela impiedade, o Todo-poderoso manda um profeta dizer a Eli:

> É chegada a hora em que eliminarei a sua força e a força da família de seu pai, e não haverá mais nenhum idoso na sua família, e você verá aflição na minha habitação. Embora Israel prospere, na sua família ninguém alcançará idade avançada. [...] e todos os seus descendentes morrerão no vigor da vida.
>
> 1Samuel 2.31-33

Fica claro, portanto, que, para Deus, a velhice é um valioso presente, algo a ser vivido e celebrado. Diante disso, vem a pergunta: se o Senhor enxerga desse modo a terceira idade, por que deveríamos vê-la de maneira diferente? Por que temê-la? Ter medo de algo que Deus considera bom? Não faz sentido. O que precisamos fazer é confiar no Senhor e dizer: "Se tu consideras bom atingir idade avançada, então é o que eu, alegremente, almejo e desejo". Faça dessas palavras a sua oração. E viva, em paz e alegria, a *boa velhice*!

Uma mensagem de esperança

Se você diz:
— *Tenho medo de envelhecer...*

Deus tem um recado para você:
— *Chegar à velhice não é ruim, é uma dádiva, um presente bom que dou a meus filhos. Pode confiar.*

Confie nestas palavras

Abraão viveu cento e setenta e cinco anos. Morreu em boa velhice, em idade bem avançada, e foi reunido aos seus antepassados.

Gênesis 25.7-8

Os justos florescerão como a palmeira, crescerão como o cedro do Líbano; plantados na casa do Senhor, florescerão nos átrios do nosso Deus. Mesmo na velhice darão fruto, permanecerão viçosos e verdejantes, para proclamar que o Senhor é justo.

Salmos 92.12-15

Mesmo na sua velhice, quando tiverem cabelos brancos, sou eu aquele, aquele que os susterá. Eu os fiz e eu os levarei; eu os sustentarei e eu os salvarei.

Isaías 46.4

Aos pés do Senhor

Pai de amor, tudo ao meu redor tenta me convencer de que a velhice é uma época da vida que devemos temer. Mas, ao ler as Escrituras, percebo que essa não é a tua visão e que viver muitos anos é, isto sim, uma dádiva! Muito obrigado pela certeza dessa realidade, fruto da confiança na tua Palavra e na tua dedicação em conduzir a minha vida, em todos os anos que já vivi e nos que ainda me esperam. Amém.

12

Confiança que vence o medo de se expor

> Deus vê o caminho dos homens; ele enxerga cada um dos seus passos.
>
> Jó 34.21

Você vive numa ilha deserta? Ou numa caverna isolada? Não? Então prepare-se: você será observado, avaliado, analisado e criticado por outras pessoas. É inevitável: viver em sociedade, na convivência com seres humanos, fará que sua vida esteja sob constante escrutínio. De vez em quando, ouço gente dizer algo como "Não dou a mínima para o que pensam de mim" ou "Não estou nem aí para a opinião dos outros". Mas basta alguém começar a cochichar, rir e apontar para ela que essa pessoa se sentirá profundamente incomodada. Porque a verdade é que todos nós damos importância, sim, ao olhar do outro. E isso mexe conosco — muito.

Para ter uma ideia, um levantamento realizado pelo jornal britânico *Sunday Times* mostra que o medo de falar em público é maior que o da morte para 41% dos entrevistados.[1] Se pensarmos bem, esse é um medo estranho. Que real ameaça há em fazer um discurso ou uma palestra em público, tocar um instrumento num concerto, cantar para uma multidão, ou situações semelhantes? Afinal, todos conversamos e nos relacionamos diariamente com outras pessoas. Que mal haveria, então, em fazer isso para uma quantidade maior de gente?

Lembro-me de quando tinha uns 10 anos. Eu tinha aulas de violão e fui me apresentar num daqueles concertos que os professores organizam para mostrar aos pais o que os filhos estão aprendendo. Eu tocaria um estudo simples, uma música não muito difícil de Isaías Sávio. Na hora do "vamos ver", porém, o desastre: errei uma nota. Fiquei nervoso. Se estivesse sozinho, teria recomeçado calmamente e tocado de novo, do princípio. Mas estava debaixo de muitos olhares.

Ergui os olhos para a plateia, e todos perceberam a enorme desafinação que meu erro tinha provocado. Subiu um calor pelo peito, e toquei um acorde completamente diferente do que estava na partitura. Daí em diante, entrei em pânico. Errei tudo. O som que saía do violão era totalmente dissonante, desafinado, desencontrado, um misto de notas que não combinavam. Terrível. Timidamente, vi a plateia aplaudir por obrigação. Levantei-me cabisbaixo e saí do palco arrasado. Um poço de ansiedade. O medo de que isso voltasse a ocorrer foi tanto que fiquei desmotivado e acabei desgostoso das aulas de violão.

Medo de falar, tocar, se apresentar, discursar ou fazer qualquer coisa em público é, na verdade, medo de se expor. Medo de que as pessoas percebam que erramos, desafinamos, tropeçamos, gaguejamos. Em outras palavras: que não somos perfeitos. Temermos a crítica alheia porque tememos que nossas falhas mais ocultas transpareçam para um enorme número de pessoas.

Deus, no entanto, sabe exatamente como somos. Ele conhece nosso coração e perscruta nossa alma.

> Senhor, tu me sondas e me conheces. Sabes quando me sento e quando me levanto; de longe percebes os meus pensamentos. Sabes muito bem quando trabalho e quando descanso; todos os meus caminhos são bem conhecidos por ti. Antes mesmo que a palavra me chegue à língua, tu já a conheces inteiramente, Senhor.
>
> Salmos 139.1-4

Um dos segredos para vencer o medo da exposição diante dos homens é ter a consciência de que vivemos sob constante exposição diante de Deus. Quando estamos sozinhos no quarto, o olhar dele nos acompanha. Ao cometermos pecados vergonhosos, o Senhor está nos observando. Se desafinamos na vida, o Onisciente escuta a desarmonia de nossas atitudes. Nada está oculto ao Criador. "Não há nada escondido que não venha a ser descoberto, ou oculto que não venha a ser conhecido" (Lc 12.2).

A verdade é que "falamos em público" o tempo todo — só que é um público invisível. E tudo de errado que passa por nosso coração e mente está constantemente sendo visto por aquele que mais importa. "O Senhor vê os caminhos do homem e examina todos os seus passos" (Pv 5.21). Assim, se nos acostumarmos à realidade de que não há novidade no fato de estarmos expostos dia e noite perante os olhos divinos, será mais fácil suportar olhares humanos.

Faça a experiência. Desperte pela manhã e conscientize-se de que passou a noite sendo observado por Deus. Ao ficar nu para se vestir, lembre-se de que o Pai celestial observa seu estado mais íntimo. Trabalhe, estude, converse com as pessoas e deite-se para dormir sabendo que cada movimento errado é observado, e cada pensamento torto, escutado. E, quando tiver de viver alguma situação de exposição pública diante de homens... simplesmente estará fazendo aquilo a que já está acostumado todos os dias. Pois "os olhos do Senhor estão em toda parte, observando atentamente os maus e os bons" (Pv 15.3).

E, se você acha que apenas os olhos de Deus estão sobre você no dia a dia, é importante lembrar que, além dele, há uma multidão de anjos acompanhando seus passos a cada instante. "Porque a seus anjos ele dará ordens a seu respeito, para que o protejam em todos os seus caminhos; com as mãos eles o segurarão, para que você não tropece em alguma pedra" (Sl 91.11-12). O fato é que você está debaixo de muitos olhos o tempo inteiro.

Não tema ser criticado ou avaliado por outros. A opinião que realmente importa é a daquele de quem depende a nossa vida. Nenhuma gafe cometida em público, nenhum discurso gaguejado, nenhum tropeção à vista alheia, nenhuma circunstância constrangedora terá importância alguma, se você estiver bem aos olhos do Pai.

Uma mensagem de esperança

Se você diz:
— *Tenho medo de me expor...*

Deus tem um recado para você:
— *Você está constantemente exposto aos meus olhos e ouvidos. Que mal há em fazer o mesmo diante dos homens? Pode confiar.*

Confie nestas palavras

Eu, quando estiver com medo, confiarei em ti. Em Deus, cuja palavra eu louvo, em Deus eu confio, e não temerei.
Salmos 56.3-4

Confio em Deus, cuja palavra louvo, no Senhor, cuja palavra louvo, em Deus eu confio, e não temerei. Que poderá fazer-me o homem?
Salmos 56.10-11

Em ti, Senhor, busquei refúgio; nunca permitas que eu seja humilhado.
Salmos 71.1

Aos pés do Senhor

Pai, sei que tu vês todas as coisas e que teus olhos me acompanham por todos os lugares onde ando. Nenhuma palavra, nenhuma ação e nenhum pensamento estão ocultos a ti, por isso sei que vivo exposto. Que o entendimento dessa realidade elimine o medo de me submeter aos olhares alheios. Amém.

13

Confiança que vence o medo de não ser feliz

> Sei o que é passar necessidade e sei o que é ter fartura. Aprendi o segredo de viver contente em toda e qualquer situação, seja bem alimentado, seja com fome, tendo muito, ou passando necessidade. Tudo posso naquele que me fortalece.
>
> Filipenses 4.12-13

O mundo se viu espantado diante do suicídio do brilhante e divertidíssimo ator Robin Williams, astro de filmes como *Gênio indomável*, *Sociedade dos poetas mortos*, *O homem bicentenário* e o maravilhoso *Patch Adams: o amor é contagioso*. Uma série de fatores contribuiu para que sua morte, aos 63 anos, fosse especialmente chocante, mas creio que podemos resumir tudo a uma causa só: Williams parecia ter tudo o que a sociedade diz que devemos almejar na vida para sermos felizes e, mesmo assim, esse tudo não foi suficiente para que ele desejasse seguir vivendo. Que estranha contradição! Veja se não é verdade: quando você pensa em felicidade, que conceitos lhe vêm à mente? Em geral, prega-se que, para sermos felizes, devemos ser ricos, famosos, bem-sucedidos e ter uma pessoa ao lado a quem amemos e que nos ame. Robin Williams tinha tudo isso. Era milionário, conhecido internacionalmente, admirado em sua profissão, casado com uma esposa que o amava... cumpria todos os requisitos. Mesmo assim, enforcou-se. Quem explica?

O comediante sempre era visto sorrindo e fazendo piadas, numa aparente alegria que se revelou apenas uma máscara. Mas, se formos além das aparências e examinarmos os bastidores de sua vida, descobriremos que ele sofria de depressão, lutava contra o alcoolismo e era dependente de drogas. Havia algo errado em seu coração. O suicídio de Williams me fez pensar também no de outras pessoas que, aparentemente, tinham tudo o que o mundo considera fundamental para a felicidade. Lembra-se, por exemplo, de Kurt Cobain? Aos 27 anos, o vocalista e guitarrista da banda de *rock* Nirvana tirou a própria vida com um tiro na cabeça. Ele tinha mulher, filha, fama, fortuna e era um astro do *rock* (o sonho de milhões em todo o planeta). Ainda assim, não foi suficiente.

Dá para explicar o suicídio de pessoas como Robin Williams e Kurt Cobain? Sim, dá. É que, na verdade, o mundo está errado. Sua proposta de felicidade é mentirosa. Dinheiro, fama, bens materiais e outras coisas a que a maioria das pessoas atribui o poder de nos fazer felizes... simplesmente não têm esse poder. São valores que valem muito pouco ou quase nada no grande esquema das coisas. Jesus foi muito claro quanto a isso:

> Não acumulem para vocês tesouros na terra, onde a traça e a ferrugem destroem, e onde os ladrões arrombam e furtam. Mas acumulem para vocês tesouros nos céus, onde a traça e a ferrugem não destroem, e onde os ladrões não arrombam nem furtam. Pois onde estiver o seu tesouro, aí também estará o seu coração.
>
> Mateus 6.19-21

É por isso que me preocupo muito quando vejo pessoas correndo em desesperante ansiedade atrás dessas falsas promessas de felicidade. Entenda: ser famoso ou rico não é o problema, não é crime nem pecado. Mas, se você deixa o amor pelos valores passageiros da vida contaminar seu coração com sentimentos equivocados... pobre de você!

Gostaria de convidá-lo a analisar o seu coração. Se a proposta de felicidade do mundo o conquistou, mude isso. Rápido. Caso contrário, você pode acabar rico, famoso... e infeliz.

> Não amem o mundo nem o que nele há. Se alguém ama o mundo, o amor do Pai não está nele. Pois tudo o que há no mundo — a cobiça da carne, a cobiça dos olhos e a ostentação dos bens — não provém do Pai, mas do mundo. O mundo e a sua cobiça passam, mas aquele que faz a vontade de Deus permanece para sempre.
> 1João 2.15-17

Muitos temem a infelicidade e vivem ansiosos por medo de não conquistar aquilo que, acreditam, os fará felizes. Mas a realidade, como mostram casos como o de Robin Williams e Kurt Cobain, é que a felicidade aparente só se torna felicidade verdadeira se ela se baseia em algo indestrutível, que não se pode perder, que não depende de mérito para ganhar, e que representa uma alegria constante e imutável. Que algo é esse?

A vontade de Deus.

Só quando seguimos a trilha de felicidade ensinada por Deus na Bíblia é que encontraremos a verdadeira satisfação. É no relacionamento com o Senhor que recebemos alento, tranquilidade e contentamento reais. Quem ama a Deus faz o que ele valoriza, devotando-se a um relacionamento com Cristo e a atos de amor pelo próximo. Quem não cumpre a vontade de Deus comete pecado, o que invariavelmente leva à infelicidade. Agradar a Deus mediante o cumprimento de sua vontade é o segredo da verdadeira e imutável felicidade: "Ao homem que o agrada, Deus dá sabedoria, conhecimento e *felicidade*. Quanto ao pecador, Deus o encarrega de ajuntar e armazenar riquezas para entregá-las a quem o agrada. Isso também é inútil, é correr atrás do vento" (Ec 2.26).

A vontade de Deus é que pratiquemos ações de piedade, amor e caridade. "Há maior felicidade em dar do que em receber" (At 20.35). Na entrega pelo bem do outro, experimentamos alegria inigualável. Alegre-se não por ter uma fortuna no banco ou por ser reconhecido por onde passa e ser convidado para eventos grandiosos, mas porque você fez o deprimido sorrir, o faminto se alimentar, o atribulado encontrar a paz, o perdido enxergar a luz.

Que sua vida seja devotada não a tornar-se uma pessoa como Robin Williams e Kurt Cobain, mas a levar o amor e a graça de Deus a pessoas como Robin Williams e Kurt Cobain — só então você será verdadeiramente feliz.

Uma mensagem de esperança

Se você diz:
— *Tenho medo de não ser feliz...*

Deus tem um recado para você:
— *Não deposite sua esperança de felicidade no que é passageiro, mas no que é eterno. Viva profundamente seu amor por mim e pelo próximo, e você será plenamente feliz. Pode confiar.*

Confie nestas palavras

Bem-aventurados os pobres em espírito, pois deles é o Reino dos céus. Bem-aventurados os que choram, pois serão consolados. Bem-aventurados os humildes, pois eles receberão a terra por herança.
Mateus 5.3-5

Enquanto Jesus dizia estas coisas, uma mulher da multidão exclamou: "Feliz é a mulher que te deu à luz e te amamentou". Ele respondeu: "Antes, felizes são aqueles que ouvem a palavra de Deus e lhe obedecem".
Lucas 11.27-28

Alegrem-se sempre no Senhor. Novamente direi: Alegrem-se! Seja a amabilidade de vocês conhecida por todos. Perto está o Senhor. Não andem ansiosos por coisa alguma, mas em tudo, pela oração e súplicas, e com ação de graças, apresentem seus pedidos a Deus. E a paz de Deus, que excede todo o entendimento, guardará o coração e a mente de vocês em Cristo Jesus.

Filipenses 4.4-7

Aos pés do Senhor

Pai, tu és a minha esperança de uma vida feliz, apesar das dificuldades. Tenho medo das infelicidades que podem cruzar meu caminho, mas sei que, se eu fizer o que esperas de mim, amando a ti e a meu próximo, encontrarei a verdadeira alegria. Que eu viva sempre a piedade com contentamento. Amém.

14

CONFIANÇA QUE VENCE O MEDO DE SOFRER

> Por isso não desanimamos. Embora exteriormente estejamos a desgastar-nos, interiormente estamos sendo renovados dia após dia, pois os nossos sofrimentos leves e momentâneos estão produzindo para nós uma glória eterna que pesa mais do que todos eles. Assim, fixamos os olhos, não naquilo que se vê, mas no que não se vê, pois o que se vê é transitório, mas o que não se vê é eterno.
>
> 2Coríntios 4.16-18

Você tem medo de sofrer? Se tem, saiba que eu o entendo; afinal, sofrer é muito ruim. Ninguém gosta; nem eu, nem você, nem ninguém. O problema ocorre quando esse medo alcança dimensões tão grandes que nos paralisa e começa a prejudicar nossa vida, quando a ansiedade gerada pela antecipação do sofrimento torna-se um sofrimento em si mesmo. Porque, perceba, se você fica extremamente ansioso de que o sofrimento chegue... já está sofrendo! Então não faz sentido produzir um sofrimento real pela expectativa de outro que ainda não aconteceu.

Tratei especificamente desse assunto no livro *O fim do sofrimento: um livro para quem busca consolo e esperança nos momentos mais sombrios*, e recomendo com ênfase que você o leia caso esteja passando por momentos difíceis — de dor, perda, luto, angústia, agonia, falta de perspectivas ou qualquer tipo de abatimento de alma causado pelo sofrimento. Deus tem muitas informações importantes a lhe dar e procurei tratar delas com amplidão em *O fim do sofrimento*. Mas não seria justo eu recomendar a leitura de outro livro e não lhe transmitir neste exato momento informações que possam lhe dar um pouco de paz e ânimo. Então o que digo a seguir é um pouco do que está no outro livro.

O sofrimento é uma indesejável realidade da vida. Até o próprio Jesus sofreu. Embora fosse divino, nunca houvesse pecado e conhecesse as razões por trás de sua dor, o Salvador do mundo exclamou: "A minha alma está profundamente triste, numa tristeza mortal" (Mt 26.38). A verdade é que o sofrimento não poupa ninguém. O próprio Jesus nos alertou de que a coisa não seria fácil: "Neste mundo vocês terão aflições" (Jo 16.33). Contudo, mesmo sabendo disso, quando o sofrimento nos crava suas garras, não há como evitar: somos dominados pela tristeza. "O sofrimento de um homem [...] pesa muito sobre ele" (Ec 8.6). Com frequência, essa tristeza é tamanha que começamos a questionar a Deus. Pomos em dúvida seu amor, sua fidelidade e, em casos extremos, sua existência.

Precisamos entender que o Senhor não é o culpado por nossas dores — o pecado é. Uma vez que nós, seres humanos, provocamos a entrada do sofrimento no mundo ao transgredir a boa, agradável e perfeita vontade divina, Deus passou a usá-lo em nosso favor — mesmo que machuque. Sei que pode soar como uma contradição, mas não é. O sofrimento não é um fim em si mesmo; à luz da Bíblia, o sofrimento muitas vezes é como a agulha de uma injeção: a picada dói, mas evita que um mal muito mais grave venha a nos prejudicar. Assim, o Senhor permite que soframos momentaneamente com vista a um bem maior. Qual? Na maioria das vezes, não descobrimos as razões do sofrimento enquanto o vivenciamos. Às vezes, passado o tempo, enxergamos os motivos. Outras vezes, só saberemos na eternidade. Mas a Bíblia é enfática em dizer que sempre há uma razão: "O Senhor faz tudo com um propósito" (Pv 16.4).

É evidente que, na hora em que está doendo, não parece ajudar muito saber que Deus permitiu a dor por motivos que podem contribuir para o nosso bem. Queremos que o sofrimento acabe e pronto. O fato é que não é possível evitar que o sofrimento chegue. Nenhum ser humano na história do universo foi imune a ele — todos nós, em algum momento, sofreremos. "O sofrimento não brota do pó, e as dificuldades não nascem do chão. No entanto, o homem nasce para as dificuldades tão certamente como as fagulhas voam para cima" (Jó 5.6-7). O que fazer, então, enquanto a aflição não vai embora?

O que devemos fazer é procurar conhecer verdades da vida espiritual que nos ajudarão a suportar a dor durante os momentos de angústia e confiar nelas. Assim, compreendendo racionalmente as realidades bíblicas e confiando nelas, conseguiremos aguentar firmes e tolerar a tribulação enquanto ela não termina. Por isso, devemos buscar, sim, o refrigério durante o período de sofrimento, mas também aprender com as lições que a dor tem a nos ensinar.

O título do livro *O fim do sofrimento* reflete essa ideia. Refere-se àquilo que *nós* mais ansiamos quando estamos em pleno processo de sofrimento, que é o seu *fim* — no sentido de extinção, término, chegada ao ponto final. Mas, igualmente, remete àquilo que *Deus* mais anseia quando permite que soframos, que é o seu *fim* — no sentido de finalidade, propósito, aquilo que se deseja alcançar. De modo geral, nós, os sofredores, nos preocupamos bem mais com o fim (término) das dores; o Senhor, por sua vez, se importa bem mais com o fim (finalidade) delas. E, quando você confia que o que está escrito na Bíblia são verdades com aplicação prática e real nos problemas do cotidiano, vai encontrar paz e esperança em cada linha do Texto Sagrado.

Gostaria que você pensasse em uma lagarta. Consegue imaginar o que ela sente quando está dentro do casulo? Acredito que não fique muito confortável. É possível que se sinta espremida, claustrofóbica. Talvez sofra. Quem sabe, até, fique triste e abatida. Nunca vi uma lagarta tecer um casulo e desejar permanecer nele para sempre. Seu objetivo, naturalmente, é sair dali. Mas, quando sai, depois de muito esforço, ela não é mais uma lagarta feia, limitada e que se arrasta por toda parte: tornou-se uma bela, ágil, livre e majestosa borboleta.

O sofrimento é nosso casulo. Deus permite que passemos por ele porque sabe que, no final do processo, seremos aperfeiçoados. E, enquanto o sofrimento não chega ao fim, ao término, que você consiga descobrir qual é o fim, a finalidade, desse mesmo sofrimento. Pois, se a lagarta compreender que o casulo tem como fim a sua transformação em uma linda borboleta, ela aguardará com muito mais paciência, força e fé o fim daquela difícil fase em sua vida.

Uma mensagem de esperança

Se você diz:
— *Tenho medo de sofrer...*

Deus tem um recado para você:
— *Os nossos sofrimentos são leves e momentâneos, e eles produzirão uma glória eterna que pesa mais do que todos eles. Pode confiar.*

Confie nestas palavras

O Senhor é o meu pastor; de nada terei falta. Em verdes pastagens me faz repousar e me conduz a águas tranquilas; restaura-me o vigor. [...] Sei que a bondade e a fidelidade me acompanharão todos os dias da minha vida, e voltarei à casa do Senhor enquanto eu viver.

Salmos 23.1-3,6

Deixo-lhes a paz; a minha paz lhes dou. Não a dou como o mundo a dá. Não se perturbe o seu coração, nem tenham medo.

João 14.27

Ouvi uma forte voz que vinha do trono e dizia: "Agora o tabernáculo de Deus está com os homens, com os quais ele viverá. Eles serão os seus povos; o próprio Deus estará com eles e será o seu Deus. Ele enxugará dos seus olhos toda lágrima. Não haverá mais morte, nem tristeza, nem choro, nem dor, pois a antiga ordem já passou".

Apocalipse 21.3-4

Aos pés do Senhor

Pai protetor, Jesus nos disse que no mundo teríamos aflições, mas que deveríamos ter bom ânimo. Que eu jamais me esqueça disso em meio às dores e às angústias, e que sempre me venha à lembrança que nosso leve e momentâneo sofrimento produzirá glória eterna. Amém.

15

Confiança que vence o medo de não se casar

> Por que você está assim tão triste, ó minha alma? Por que está assim tão perturbada dentro de mim? Ponha a sua esperança em Deus! Pois ainda o louvarei.
>
> Salmos 42.5

Algum tempo atrás, viajei a outra cidade para pregar em duas igrejas e, por isso, fiquei dois dias hospedado na casa de uma parente, alguém que conheço desde criança. Ela é uma bela mulher cristã, com boa formação acadêmica, estabilidade financeira... e vítima de uma gigantesca carência afetiva. Já entrando na casa dos 40 anos, vive o drama de milhares de homens e mulheres por todo o mundo: o medo da *solteirice*.

Ao longo daqueles dois dias, o assunto sobre o qual mais conversamos foi seu relacionamento com um homem que ela conhecera e com quem pensava seriamente em se casar. O mais curioso é que estavam namorando havia... duas semanas. Isso mesmo: *duas semanas*! E ela já queria subir ao altar; fazia planos, elaborava ideias, traçava o futuro. Convicção? Não. Carência. Ela falou sobre aquele homem com frequência. Tensa. Se ele não telefonava, ela ficava se torturando em pensamentos sobre as razões de não ter ligado. Quando ele mandava uma mensagem pelo telefone, ela tecia conjecturas sobre o que ele queria dizer. De manhã, quando eu acordava, ela compartilhava pensamentos sobre ele. À noite, quando chegávamos em seu apartamento, ela corria para lhe telefonar.

A ansiedade transbordava. Na verdade, a ansiedade a estava entorpecendo: nublava seu raciocínio, desequilibrava suas atitudes, agitava suas emoções, atrapalhava sua vida. Medo de não ter filhos. Medo de não ter uma companhia. Medo de ficar só. Medo, medo, medo. A solução? Casar com um homem que, como ela mesma me confessou, não fazia seu tipo, "mas é um rapaz direito". Chegou a um ponto em que me senti na obrigação de chamá-la para conversar. Foi quando me segredou que bastava um homem ser amável que logo ela se interessava e passava a correr atrás. Ela é uma mulher muito valiosa, mas estava se ofertando como se valesse pouco. Carência. Ansiedade. Medos que a faziam se desvalorizar como mulher e como pessoa.

Será que você se identifica com essa situação?

Existe a ideia de que há a *idade* certa para se casar. Errado. O que existe é a *pessoa* certa. Homens e mulheres que têm medo de não se casar acabam sucumbindo pela falta de fé no fato de que Deus tem o melhor para elas. Esquecem que "os que conhecem o teu nome confiam em ti, pois tu, Senhor, jamais abandonas os que te buscam" (Sl 9.10). A ansiedade é uma terrível armadilha para a vida sentimental, pois gera insensatez e desequilíbrio emocional. Se você está sendo devorado por esse tipo de ansiedade, escute o conselho do sábio:

> Meu filho, guarde consigo a sensatez e o equilíbrio, nunca os perca de vista; trarão vida a você e serão um enfeite para o seu pescoço. Então você seguirá o seu caminho em segurança, e não tropeçará; quando se deitar, não terá medo, e o seu sono será tranquilo. Não terá medo da calamidade repentina nem da ruína que atinge os ímpios, pois o Senhor será a sua segurança e o impedirá de cair em armadilha.
>
> Provérbios 3.21-26

Por meu *blog*, recebo dezenas de relatos por semana de pessoas que, por medo de não se casar... acabam se casando. Pelas razões erradas, é verdade, mas se casam. Sem amor. Por pressão dos amigos, dos parentes ou da igreja. Por pura ansiedade e medo do futuro. Por mil motivos que têm, todos, o mesmo sobrenome: ansiedade. Por quê? Porque, no fundo, não confiam que Deus os fará conhecer uma pessoa realmente especial, mesmo que demore mais tempo do que *elas* planejaram. Tomam as rédeas das mãos de Deus. O resultado são casamentos que, muitas vezes, terminam em infelicidade ou divórcio.

O medo de não se casar também tem relação direta com o desejo de ser pai e, mais ainda, mãe. É um desejo legítimo e faz parte dos sonhos de quase toda mulher; assim, quanto mais a idade avança, maior o risco de o pânico se apossar da solteira. Com isso, a triste realidade é que ela acaba buscando não um marido, mas um reprodutor. As que se casam sem amor para ter filhos não percebem, porém, que filhos são a *consequência* de uma vida de amor com um cônjuge, e não a causa. Invertem a ordem das coisas e, depois que o bebê nasce, acabam se vendo presas a um marido a quem não amam, pelo resto da vida.

A verdade é que nos casamos para que, nessa grande jornada chamada *matrimônio*, sejamos mais e mais conformados à imagem de Jesus, o Deus que é amor. Logo, se casamos por motivos diferentes do amor sacrificial, devotado e profundo, estamos asfaltando a estrada para a infelicidade.

Se você não sabe que caminho trilhar para encontrar, no tempo certo, o verdadeiro amor de sua vida, lembre-se do que a Bíblia diz sobre a pessoa que teme o Senhor: "[Deus] o instruirá no caminho que deve seguir" (Sl 25.12). A chave chama-se *confiança*: "Eu, porém, *confio* no Senhor. Exultarei com grande alegria por teu amor, pois viste a minha aflição e conheceste a angústia da minha alma" (Sl 31.6-7).

Você é massacrado pela ansiedade para se casar? Então inspire-se no exemplo de Jacó. O filho de Isaque e neto de Abraão viveu a mais extraordinária história da Bíblia sobre vencer a ansiedade e esperar o tempo necessário para se casar com a pessoa certa. Jacó amava profundamente Raquel, filha de seu tio Labão. Por isso, superou toda ansiedade e, para desposar a mulher que amava, disse ao tio que trabalharia para ele sete anos em troca da mão de sua filha. Sete anos! Imagine! Convenhamos, deve ter sido um fardo enorme esperar todo aquele tempo para se casar. Afinal, foram 2.555 dias de espera! O total de 61.320 horas! Certamente Jacó sofreu cada minuto daqueles sete anos, certo?

Errado.

O texto bíblico diz, em Gênesis 29.29, que Jacó trabalhou sete anos por Raquel, "mas lhe pareceram poucos dias, pelo tanto que a amava".

Uma mensagem de esperança

Se você diz:
— *Tenho medo de não me casar...*

Deus tem um recado para você:
— *Eu vejo sua aflição e conheço a angústia de sua alma. Exulte por meu amor, pois cuido de tudo em sua vida. Pode confiar.*

Confie nestas palavras

O Senhor se agrada dos que o temem, dos que colocam sua esperança no seu amor leal.

Salmos 147.11

O S<small>ENHOR</small> é a minha força e o meu escudo; nele o meu coração confia, e dele recebo ajuda.

Salmos 28.7

Coloquei toda a minha esperança no S<small>ENHOR</small>; ele se inclinou para mim e ouviu o meu grito de socorro.

Salmos 40.1

─────────────── Aos pés do Senhor ───────────────

Pai provedor, tu conheces meu sonho de casar e formar uma família. Mas confesso toda a minha ansiedade de encontrar logo a pessoa que subirá comigo ao altar. Fortalece minha fé e orienta meus passos, para que o tempo de espera seja como poucos dias ao meu coração. E que eu encontre alguém por quem tenha valido a pena esperar. Amém.

16

Confiança que vence o medo de não ser feliz no casamento

> É da vontade de Deus que, praticando o bem, vocês silenciem a ignorância dos insensatos. Vivam como pessoas livres, mas não usem a liberdade como desculpa para fazer o mal; vivam como servos de Deus.
>
> 1Pedro 2.15-16

Eu coleciono antiguidades. Algo que me fascina, em especial, são as engrenagens de relógios antigos. É uma perfeição. Uma pecinha tem o número certo de dentes e, ao rodar, faz girar outra pecinha, que, por sua vez, movimenta uma roldana, que puxa um parafuso, que desloca um pêndulo, que roda uma outra pecinha e, por fim, o ponteiro se move: tique, taque, tique, taque, tique, taque... Exato. Preciso. Perfeito. Uma mecânica onde tudo se encaixa, tudo funciona direitinho, sem um milímetro de erro. Agora, experimente remover somente um pequenino parafuso dessa complexa engrenagem. O resultado é que todo o relógio… para de funcionar. Do mesmo modo, a ordem que Deus estabeleceu para as coisas também é assim, em especial no casamento.

Quer ter um casamento bem-sucedido? Talvez você sofra por antecipação, com medo de que seu casamento acabe em divórcio ou infelicidade. Ou, se já é casado, pode ser que tenha medo do rumo que seu casamento esteja tomando. Esse medo o angustia? Então o que precisa fazer é confiar que Deus criou o matrimônio como um relógio perfeito. Se cada peça estiver no lugar devido e desempenhar seu papel como o Senhor o criou para desempenhar, tudo sairá bem.

A Bíblia é extremamente clara quanto ao funcionamento dessa magnífica máquina chamada família. Cada peça tem seu papel e sua posição, e todas são essenciais para o funcionamento do todo. Mas, para que o tique-taque flua sem nenhum problema, cada um tem de fazer sua parte. Não adianta a roda dentada querer balançar ou o pêndulo desejar rodar: se isso acontecer, os ponteiros param e a máquina pifa.

Uma das maiores dificuldades para esse relógio chamado casamento funcionar como Deus espera é que o modelo que nossa sociedade atual criou para a família é, em muitos aspectos, diferente do modelo bíblico. Nesse caso, temos de optar: seguiremos o padrão inventado por este mundo ou confiaremos em Deus e em sua Palavra? O que você prefere? Se você respondeu que prefere seguir o padrão divino, tem de entender como funciona esse modelo — tão antiquado aos olhos do mundo.

Como vimos anteriormente, todo casamento precisa ser construído sobre o alicerce do amor, para que sejamos conformados à imagem do Cristo que é amor. Matrimônios que ocorrem por qualquer outra razão já nascem doentes, e a tendência é fracassar. O amor é a caixa que envolve toda a engrenagem da família. Sem ela, o relógio simplesmente não é um relógio, assim como, sem amor, um casamento não é um casamento. Não se case por pressão social, porque "está ficando para titia", porque quer ter um filho, porque, porque, porque... Nada disso: se não for por amor, já está errado.

Com isso em mente, é importante entender o papel que Deus atribuiu ao homem e à mulher no grande relógio chamado casamento. Por exemplo, a esposa tem como papel respeitar o marido e ser submissa a ele. Isso não significa, de modo algum, ser "escrava", perder a identidade ou viver em obediência cega. A submissão é uma atitude nobre e admirável, pois reproduz o caráter de Jesus. Veja o que a Bíblia nos ensina:

> Seja a atitude de vocês a mesma de Cristo Jesus, que, embora sendo Deus, não considerou que o ser igual a Deus era algo a que devia apegar-se; mas esvaziou-se a si mesmo, vindo a ser servo, tornando-se semelhante aos homens.
>
> Filipenses 2.5-7

Cristo foi submisso. Ele deu o exemplo máximo de submissão. Sabendo de sua virtude e seu valor, não teve problemas em se desapegar de sua grandeza e assumir papel de servo, sendo extremamente obediente ao Pai. Este é o modelo da submissão: não escravidão, mas *dedicação em amor*.

Quando a mulher tem esse conceito claro na mente, compreende com carinho as determinações bíblicas para as esposas:

> Mulheres, sujeite-se cada uma a seu marido, como ao Senhor, pois o marido é o cabeça da mulher, como também Cristo é o cabeça da igreja, que é o seu corpo, do qual ele é o Salvador. Assim como a igreja está sujeita a Cristo, também as mulheres estejam em tudo sujeitas a seus maridos.
>
> Efésios 5.22-24

O marido, por sua vez, tem o papel de amar a esposa e tratá-la com dignidade e honra. De fato, o marido tem de amar a esposa como Cristo amou a igreja:

> Maridos, ame cada um a sua mulher, assim como Cristo amou a igreja e entregou-se por ela para santificá-la, tendo-a purificado pelo lavar da água mediante a palavra, e para apresentá-la a si mesmo como igreja gloriosa, sem mancha nem ruga ou coisa semelhante, mas santa

e inculpável. Da mesma forma, os maridos devem amar cada um a sua mulher como a seu próprio corpo. Quem ama sua mulher, ama a si mesmo.

Efésios 5.25-28

O que significa amar a esposa "como Cristo amou a igreja e entregou-se por ela"? O que Cristo fez pela igreja foi dar a própria vida por ela. Por mim. Por você. E quem dá a vida por uma pessoa está colocando-a em primeiro lugar. Logo, amar como Cristo amou a igreja significa priorizar a esposa e fazer tudo visando antes de tudo aos interesses e ao bem-estar dela. Deus comissionou o marido a agir sempre em abnegação, a abrir mão dos interesses individuais em favor do que é o melhor para a esposa.

Assim, a esposa submissa prova que confia em Deus e ama o marido. E o marido que prioriza a esposa prova que confia em Deus e ama a esposa.

Percebe a grandiosidade do mecanismo divino para o casamento? Deus definiu bem os papéis: o marido precisa amar a esposa, priorizá-la, santificá-la e cuidar dela. Já a esposa precisa amar e respeitar o marido, submetendo-se a ele com dedicação. A enorme beleza disso é que o Senhor criou os dois papéis para funcionarem *simultaneamente*. Mas, se um dos cônjuges foge desse modelo, o relógio emperra. Um marido que prioriza e honra a mulher jamais usará o fato de ser o cabeça para oprimi-la ou inferiorizá-la; a esposa que se submete em amor ao esposo jamais se rebelará ou se tornará briguenta. Se ambos fizerem o que têm de fazer ao mesmo tempo, tudo irá bem. E a felicidade virá.

Ser uma peça numa engrenagem perfeita não é fácil. Exige obediência a uma rotina de funcionamento. Exige trabalho em conjunto com outras peças diferentes de nós. Exige reciclagens constantes, com restauração de pequenos defeitos que nos impedem de funcionar como manda o Fabricante. Exige saber que não servimos para nada longe das outras peças. Exige a certeza de que o Construtor conhece cada peça individualmente, criou cada uma em detalhes e só ele entende plenamente o funcionamento da máquina.

Você é, ou será, uma peça fundamental numa grande engrenagem chamada casamento. Aprenda como ela funciona e aja, em tudo, de acordo com o manual. Não tem como dar errado. Pois Deus sabe o que faz.

Uma mensagem de esperança

Se você diz:
— *Tenho medo de não ser feliz no casamento...*

Deus tem um recado para você:
— *Desempenhe seu papel conforme descrito na Bíblia e procure um cônjuge que também faça isso, e você será plenamente feliz na vida conjugal. Pode confiar.*

Confie nestas palavras

Este é o Deus cujo caminho é perfeito; a palavra do S‍enhor é comprovadamente genuína.

2Samuel 22.31

Ao homem que o agrada, Deus dá sabedoria, conhecimento e felicidade.

Eclesiastes 2.26

Sei que tudo o que Deus faz permanecerá para sempre; a isso nada se pode acrescentar, e disso nada se pode tirar.

Eclesiastes 3.14

Aos pés do Senhor

Pai, vejo tantos casais infelizes e tantos casamentos se acabando! Não gostaria que isso acontecesse comigo. Confio que o modelo que idealizaste é o melhor e que, se adotado, fará a união frutificar em felicidade e amor. Ajuda-me e ao meu cônjuge a desempenharmos nosso papel no matrimônio segundo a tua vontade. Amém.

17

CONFIANÇA QUE VENCE O MEDO DA INFERTILIDADE

> Quem é como o SENHOR, o nosso Deus, que reina em seu trono nas alturas, mas se inclina para contemplar o que acontece nos céus e na terra? [...] Dá um lar à estéril, e dela faz uma feliz mãe de filhos. Aleluia!
>
> SALMOS 113.5-6,9

Lembro-me do parto de minha filha com um misto de emoção e aflição. Tudo pronto na sala da maternidade, a cesariana começou tranquilamente, os médicos batiam um papo divertido, do qual até minha esposa e eu participávamos. Porém, na hora em que o obstetra foi tirar a bebê do ventre da mãe... o susto: a bebê girou dentro do útero e ficou com a cabeça ao contrário. Eu assistia a tudo sem poder fazer nada, exceto orar e me apavorar. Foram momentos tensos, a criança demorava a sair, os médicos pressionavam a barriga como podiam e eu ali, transpirando ansiedade, até que o bumbum despontou, depois os pés, por fim o tronco e — finalmente! — a cabeça. Minha bebê nasceu roxa. Sem chorar. Sem esboçar reação. Apática. Naqueles instantes, tremi e temi. A ideia de perdê-la me aterrorizou. Era um risco muito real. Embora minha filha estivesse ali, na minha frente, a possibilidade de ela não prosseguir viva despertou em mim em segundos a compreensão do medo que sente alguém que sonha em ter um bebê e não consegue.

Muitos são os que recebem um diagnóstico de infertilidade ou tentam repetidamente conceber sem sucesso e, por isso, entram em profundas crises de ansiedade. Questiona-se a bondade de Deus e seu amor... Tudo atravessa o pensamento nessa hora.

A Bíblia relata o caso de muitas mulheres inférteis. Sara é um exemplo. Apesar de Deus ter prometido ao marido dela, Abraão, que lhe daria uma descendência, a ansiedade levou Sara a cometer um grande erro. Disse ela a Abraão: "Já que o Senhor me impediu de ter filhos, possua a minha serva; talvez eu possa formar família por meio dela" (Gn 16.2). Foi o que ele fez. Deus, porém, anunciou que a própria Sara é quem teria um filho, apesar de já ser muito idosa. "Mas o Senhor disse a Abraão: 'Por que Sara riu e disse: 'Poderei realmente dar à luz, agora que sou idosa?' Existe alguma coisa impossível para o Senhor? Na primavera voltarei a você, e Sara terá um filho'" (Gn 18.13-14). E assim aconteceu, exatamente como o Todo-poderoso tinha prometido.

Outro exemplo é o da israelita Ana, mulher de um homem chamado Elcana. Tinha o sonho de ser mãe, mas não conseguia conceber. Certo dia, ao orar a Deus pedindo um filho, foi abordada pelo sacerdote Eli, a quem confessou: "... pelo excesso da minha ansiedade e da minha aflição é que tenho falado até agora" (1Sm 1.16, RA). Ao derramar lágrimas perante o Autor da vida, Ana explicitou seu desejo de dar à luz. E veja o que aconteceu: ela engravidou, e seu filho veio a ser Samuel, um dos principais profetas da Bíblia. Em reconhecimento à graça recebida, fez uma linda oração de agradecimento, na qual diz: "O Senhor é o que tira a vida e a dá" (1Sm 2.6, RA).

As Escrituras relatam, ainda, a história de uma série de outras mulheres estéreis que, pela graça de Deus, conceberam; é o caso de Raquel, esposa de Jacó (Gn 29.31); da esposa de Manoá (Jz 13.2); e de Isabel, prima de Maria, mãe de Jesus. O que todos esses relatos nos mostram? A resposta é a mesma que o anjo Gabriel deu a Maria, mãe de Jesus: "... nada é impossível para Deus" (Lc 1.35-37).

O rei Davi escreveu para o Senhor: "Tu criaste o íntimo do meu ser e me teceste no ventre de minha mãe. Eu te louvo porque me fizeste de modo especial e admirável. [...] Os teus olhos viram o meu embrião; todos os dias determinados para mim foram escritos no teu livro antes de qualquer deles existir" (Sl 139.13-14,16). Deus é o Autor da vida. Ele pode conceder um filho a quem ele quiser. Você está dominado pelo medo de não ter filhos? Está tomada de ansiedade por ter sido declarada estéril pelos médicos? Confia. Quem decide isso é Deus.

Por favor, entenda que não estou fazendo afirmações irresponsáveis, dizendo que todas as pessoas declaradas inférteis se tornarão pai e mãe por um milagre de Deus. Não é isso. Se você enfrenta esse problema, não serei louco de prometer que o anjo Gabriel aparecerá em seu quarto e lhe prometerá um filho de forma sobrenatural. O que estou dizendo é que Deus tem total capacidade de conceder a você a alegria da paternidade ou da maternidade de maneiras diferentes.

Eu creio em milagres? Sim, creio. Conheço casais em que um dos cônjuges foi declarado infértil mas, certo dia, veio a notícia: exame positivo! Contudo, também conheço pessoas que recorreram à ciência humana e tiveram um (ou mais de um!) filho por meio de tratamentos especiais. Eles confiaram que era possível. Oraram, pesquisaram, consultaram médicos e tiveram seu sonho realizado.

Existe ainda outro meio: a adoção. Em nossos dias, sabe-se perfeitamente que o amor materno ou paterno não depende da concepção biológica de uma vida. Pais e mães do coração são capazes de dar e receber amor de seus filhos adotivos do mesmíssimo modo. Esse laço é tão forte quanto o biológico, pois foi fruto de uma escolha: alguém olhou para a criança, apontou o dedo e disse: "Aí está o meu filho! É esse que desejo amar". Que coisa linda! E sabe de uma coisa? Adotar um filho é um ato divino, simplesmente porque reproduz aquilo que Deus faz quando chama alguém para a salvação: "Pois vocês não receberam um espírito que os escravize para novamente temerem, mas receberam o Espírito que os torna filhos *por adoção*" (Rm 8.15).

Quando vi minha filha sair roxa do ventre materno, sem aparente sinal de vida, orei a Deus em pensamento e disse: "Senhor, em ti confio. Seja feita a tua vontade". Segundos depois, ela tossiu. Depois, tossiu de novo. E começou a chorar, com força e vigor. Eu confiei no Autor da vida e ganhei uma filha. Hoje, no dia em que escrevo estas palavras, fui pela manhã a uma pracinha ver a filhota correr, brincar e se divertir. Subimos em árvores, escalamos o trepa-trepa, rimos e trocamos amor. E, a cada instante, eu soube que ela estar ali era fruto da ação amorosa e extraordinária de um Pai que nos escuta e tem prazer em nos presentear com a alegria de sermos chamados de *papai* ou *mamãe*.

Uma mensagem de esperança

Se você diz:
— *Tenho medo de não ter filhos...*

Deus tem um recado para você:
— *Eu tenho maneiras diferentes de realizar seu sonho. E tudo o que faço é perfeito e bom. Pode confiar.*

Confie nestas palavras

Os que conhecem o teu nome confiam em ti, pois tu, Senhor, jamais abandonas os que te buscam.

Salmos 9.10

Alguns confiam em carros e outros em cavalos, mas nós confiamos no nome do Senhor, o nosso Deus. Eles vacilam e caem, mas nós nos erguemos e estamos firmes.

Salmos 20.7-8

A ti, Senhor, elevo a minha alma. Em ti confio, ó meu Deus. [...] Nenhum dos que esperam em ti ficará decepcionado.

Salmos 25.1-3

Aos pés do Senhor

Pai criador, como anseio ter filhos! Sei que és o Autor da vida e, por isso, peço-te que ajas de acordo com a tua perfeita vontade. Presenteia-me com a alegria da paternidade, da maneira que considerares a melhor e que cumpra teus planos perfeitos. Entrego-te meus temores e descanso em ti. Amém.

18

Confiança que vence o medo do que vem depois da morte

> Se você confessar com a sua boca que Jesus é Senhor e crer em seu coração que Deus o ressuscitou dentre os mortos, será salvo.
> Romanos 10.9

Pense em um lugar de choro constante. Ruim? Acrescente ranger de dentes. Horrível? Pois vai ficar ainda pior: lá a dor que se sente é comparável à de estar sendo queimado em um fogo que nunca se apaga. Que desespero! É possível não ter medo desse lugar? Seu nome você já sabe: *inferno*. De acordo com a Bíblia, tudo o que descrevi aqui são características que nos passam uma ideia do terror que espera aqueles que forem condenados a passar ali a eternidade.[1] Não é difícil entender o medo que o simples pensamento de parar num lugar como esse provoca.

Para além dessas ilustrações, é preciso compreender que, acima de tudo, o horror maior do inferno é o da irreversível e absoluta separação de Deus. Não há dor maior que a total distância da graça, uma infindável existência distante do Criador, um vácuo de absoluta desesperança. Se Deus é tudo, o inferno é viver no nada. E isso é sofrimento.

Nesse ponto, você poderia dizer: "Ok, Zágari, já entendi. Não precisa me deixar ainda mais apavorado". Calma. Se você tem medo de ir para o inferno, meu objetivo não é aumentar sua ansiedade; pelo contrário, é expor a profundidade do vale, para que você contraponha o horror dele à absoluta beleza que há nas altitudes da montanha que se chama Cristo.

Jesus explicou que o inferno foi "preparado para o Diabo e os seus anjos" (Mt 25.41), portanto a proposta original desse lugar tenebroso nada tinha que ver com seres humanos. Somos intrusos no inferno. Deus criou o homem para o Éden, para caminhar eternamente em sua companhia. Porém, a partir do momento em que pecamos e, assim, nos afastamos do Criador, optamos por viver sem a presença dele. Consequentemente, se vivemos sem o Senhor nesta vida, seguiremos vivendo sem ele na próxima.

Uma vez que os homens passaram a estar "mortos em suas transgressões e pecados" (Ef 2.1), e uma vez que "o salário do pecado é a morte" (Rm 6.23), Deus precisou pôr em ação um plano para quitar essa dívida. Em vez de matar todos os que pecaram e mandá-los para o inferno, Deus decidiu assumir a forma de um homem inocente que morreria no lugar dos culpados. Encarnado na pessoa de Jesus, ofereceu-se voluntariamente em sacrifício na cruz como pagamento por minha e sua desobediência. "Porque Deus tanto amou o mundo que deu o seu Filho Unigênito, para que todo o que nele crer não pereça, mas tenha a vida eterna" (Jo 3.16).

Sim, o Pai envia o Filho, "o Cordeiro de Deus, que tira o pecado do mundo" (Jo 1.29), para nos salvar. Ele é crucificado e morto, mas não permanece sujeito à morte: "Deus o ressuscitou dos mortos, rompendo os laços da morte, porque era impossível que a morte o retivesse" (At 2.24). Pronto, o mistério da salvação foi completado. A penalidade foi paga. A humanidade foi redimida. Salvação!

E como uma pessoa pode ganhar essa salvação? *Crendo em Jesus como Senhor de sua vida e Salvador de sua alma*. A primeira certeza que você precisa ter é que ninguém é salvo do inferno por méritos próprios. Paulo explicou como isso funciona:

> Vocês estavam mortos em suas transgressões e pecados, nos quais costumavam viver, quando seguiam a presente ordem deste mundo. [...] Todavia, Deus, que é rico em misericórdia, pelo grande amor com que nos amou, deu-nos vida com Cristo, quando ainda estávamos mortos em transgressões [...]. Pois vocês são salvos pela graça, por meio da fé, e isto não vem de vocês, é dom de Deus; não por obras, para que ninguém se glorie.
>
> Efésios 2.1-2,4-5,8-9

Assim, nosso medo de ir para o inferno se dissipa completamente se temos a confiança de que a nossa salvação não vem de nós, mas é um presente imerecido que Deus nos dá quando cremos em Jesus Cristo como Senhor e Salvador. "Quem nele crê não é condenado, mas quem não crê já está condenado, por não crer no nome do Filho Unigênito de Deus" (Jo 3.18).

Então permita-me perguntar: você confia nessa verdade? Acredita que Jesus é Deus e que ele encarnou em forma humana para morrer na cruz e vencer a morte na ressurreição? E, mediante essa crença, você o recebe como Salvador e Senhor pessoal? Então, se confessa essa realidade em sua vida, você foi feito justo, nasceu de novo e foi adotado como Filho de Deus. Não há o que temer! Tudo o que precisa fazer a partir do momento em que faz essa aliança de fé com Cristo é passar a viver em obediência aos mandamentos de Deus, como manifestação visível de que ama Jesus em seu coração. "Quem tem os meus mandamentos e lhes obedece, esse é o que me ama. Aquele que me ama será amado por meu Pai, e eu também o amarei e me revelarei a ele" (Jo 14.21).

Assim, para os salvos, o inferno se torna uma realidade distante. Choro, ranger de dentes, fogo que nunca se apaga, condenação, castigo eterno, abismos tenebrosos? Esqueça isso. Não tema o inferno: ame o céu.

E isso vale para todos. Se você é cristão e tem medo de perder a salvação, lembre-se do que Jesus disse: "Todo aquele que o Pai me der virá a mim, e quem vier a mim eu jamais rejeitarei. [...] E esta é a vontade daquele que me enviou: que eu não perca nenhum dos que ele me deu, mas os ressuscite no último dia" (Jo 6.37,39). "As minhas ovelhas ouvem a minha voz; eu as conheço, e elas me seguem. Eu lhes dou a vida eterna, e elas jamais perecerão; ninguém as poderá arrancar da minha mão. Meu Pai, que as deu para mim, é maior do que todos; ninguém as pode arrancar da mão de meu Pai" (Jo 10.27-29). E mais: "Pois estou convencido de que nem morte nem vida, nem anjos nem demônios, nem o presente nem o futuro, nem quaisquer poderes, nem altura nem profundidade, nem qualquer outra coisa na criação será capaz de nos separar do amor de Deus que está em Cristo Jesus, nosso Senhor" (Rm 8.38-39). Lindas promessas. Grandes verdades.

Tenha paz. Confie. Jesus morreu por você. Sua alma é preciosa para o Senhor, e ele deseja passar a eternidade ao seu lado. Sem ansiedade, sem medo, sem nada além do misericordioso, infinito e inigualável amor de Deus.

Uma mensagem de esperança

Se você diz:
— *Tenho medo do inferno...*

Deus tem um recado para você:
— *Meu Filho Unigênito morreu na cruz para que você tivesse acesso à vida eterna ao meu lado. O inferno não é o seu lugar. Pode confiar.*

Confie nestas palavras

Mas agora que vocês foram libertados do pecado e se tornaram escravos de Deus, o fruto que colhem leva à santidade, e o seu fim é a vida eterna. Pois o salário do pecado é a morte, mas o dom gratuito de Deus é a vida eterna em Cristo Jesus, nosso Senhor.

Romanos 6.22-23

Deus, que é rico em misericórdia, pelo grande amor com que nos amou, deu-nos vida com Cristo, quando ainda estávamos mortos em transgressões — pela graça vocês são salvos.

Efésios 2.4-5

Deus nos deu a vida eterna, e essa vida está em seu Filho. Quem tem o Filho, tem a vida; quem não tem o Filho de Deus, não tem a vida.

1João 5.11-12

Aos pés do Senhor

Pai, obrigado porque nos revelaste o caminho da vida eterna: Jesus Cristo. Desejo permanecer sempre em aliança com ele, reconhecendo-o como meu Senhor e Salvador, com a certeza de minha salvação. Sou grato porque entregaste teu Filho para morrer em meu lugar e me dar acesso a uma eternidade de paz. Amém.

19

Confiança que vence o medo das forças do mal

> Submetam-se a Deus. Resistam ao Diabo, e ele fugirá de vocês.
> Tiago 4.7

Em tempos de avanços tecnológicos e científicos, alguém dizer que acredita na existência e na influência de espíritos malignos soa para muitos como um atraso intelectual, uma crença medieval absurda de gente ignorante. Bem, se é assim, preciso dizer que sou intelectualmente atrasado, medieval e ignorante, pois eu acredito. Por quê? Simples: porque Jesus acreditava. Mais que isso: Cristo lidou pessoalmente com Satanás, exorcizou pessoas e ensinou realidades sobre os demônios. Como a Bíblia deixa muito claro, "A nossa luta não é contra seres humanos, mas contra os poderes e autoridades, contra os dominadores deste mundo de trevas, contra as forças espirituais do mal nas regiões celestiais" (Ef 6.12).

Banir o mal de nossa crença é remover o Diabo da tentação de Jesus no deserto; é tirar a história do rico e Lázaro da Bíblia; é contar a parábola do semeador pela metade; é amputar os primeiros capítulos do livro de Jó; é anular todo o sentido de Apocalipse. Mais importante ainda: é arrancar da história da salvação o relato da queda da humanidade. E, sem o que o Maligno fez no Éden, por que afinal Jesus precisaria ser crucificado e ressuscitar? Caso você não acredite nas forças espirituais do mal, recomendo que pule para o próximo capítulo. Este aqui é para os milhões de pessoas no planeta que, assim como eu, confiam no que Jesus falou e, por isso, acreditam.

Se por um lado há o problema da incredulidade, por outro há o do medo excessivo do Diabo e seus demônios. Muita gente tem pânico quando se fala neles. O medo é tanto que suas orações são mais voltadas ao combate desses seres do que ao relacionamento com Deus. Há até quem não ouse mencionar o nome Satanás. Se é o seu caso, tenha calma. Muitas vezes, a ansiedade e o medo são mais inimigos que o próprio Inimigo.

Entenda algo: é um equívoco sem tamanho achar que Deus e Satanás estão numa batalha em pé de igualdade. Deus é infinitamente mais poderoso que o Diabo. *In-fi-ni-ta-men-te*. A velha ideia de que Satanás e o Criador do universo disputam as almas humanas como num cabo de guerra é um erro de proporções (anti)bíblicas.

A única relação dos demônios com o Criador é no sentido de obedecer e implorar ao Senhor. Do mesmo modo que você e eu, como criaturas, dependemos da permissão do Pai para tudo, qualquer ser espiritual tem de seguir o mesmo protocolo. Sim, Satanás é obrigado, em tudo, a dizer ao Todo-poderoso: "Seja feita a tua vontade, assim na terra como no céu". Ele não tem escolha. O fato é que o Diabo está submisso em tudo a Deus e necessariamente tem de obedecer-lhe — embora de muita má vontade, é verdade. Mas, se o Senhor manda, o Diabo só pode dizer "amém"; as forças espirituais do mal jamais moverão uma palha sequer se o Todo-poderoso não permitir.

Para tomar qualquer iniciativa, Satanás precisa que Deus lhe conceda esse direito. No livro de Jó, assim diz o Senhor a Satanás: "Pois bem, tudo o que ele possui está nas suas mãos; apenas não toque nele" (1.12). Deus usa o verbo no imperativo, isto é, trata-se de uma ordem, algo que vem de cima para baixo: *Não toque*. Em nenhum momento há uma concessão. E que vem não para satisfazer Satanás, mas para cumprir os propósitos divinos.

Nesse sentido, o Inimigo é como apenas mais uma das muitas canetas que o Pai usa para escrever a história da eternidade. E canetas não passam de instrumentos, usados para atender à vontade de quem as maneja.

As palavras de Cristo no episódio em que ele é tentado no deserto por Satanás são reveladoras. Depois de ser importunado pelo Diabo, Jesus resolve a situação com poucas palavras: "Retire-se, Satanás!". Perceba, mais uma vez, o que está acontecendo aqui. Jesus simplesmente dá uma ordem. E o que o Diabo faz na sequência? "Então o Diabo o deixou" (Mt 4.1-11). Não há luta, não há barulho, não há sequer reclamação. Jesus diz, e o Diabo simplesmente obedece.

A história se repete no episódio em que um homem da cidade de Gadara, possesso por espíritos malignos, depara com Jesus (Mc 5.1-20). Quando aquela legião de demônios se vê diante do Rei dos reis, o que ela faz? "E *implorava* a Jesus, com insistência, que não os mandasse sair daquela região. Uma grande manada de porcos estava pastando numa colina próxima. Os demônios *imploraram* a Jesus: 'Manda-nos para os porcos, para que entremos neles'" (v. 10-12). Sim, os demônios imploraram.

Cristo nos mostra a supremacia absoluta de Deus sobre o Diabo. A respeito de Jesus, Mateus 8.16 diz: "Ao anoitecer foram trazidos a ele muitos endemoninhados, e ele expulsou os espíritos com *uma palavra*". Isso mesmo, uma única palavra! Jesus não se rebaixava a ficar conversando com demônios se não houvesse propósito para isso.

A Bíblia é sobre Cristo. O evangelho é sobre Cristo. Nossa vida é sobre Cristo. Se você observar que vem gastando tempo demais lendo sobre demônios, falando sobre demônios e se preocupando com demônios, é sinal de que suas prioridades precisam ser reavaliadas. Sim, é verdade que "o Diabo [...] anda ao redor como leão, rugindo e procurando a quem possa devorar" (1Pe 5.8), mas confiamos que podemos "ficar firmes contra as ciladas do Diabo" (Ef 6.11) e que "aquele que está em vocês é maior do que aquele que está no mundo" (1Jo 4.4).

Você tem a proteção de Deus 24 horas por dia contra as forças espirituais do mal. Elas só podem tentar arrastá-lo para longe de Deus — cabe a você dar ouvidos ou não.

Tudo o que você tem a fazer é submeter-se a Deus e resistir ao Diabo. A Palavra de Deus assegura: faça isso, e ele fugirá de você.

Uma mensagem de esperança

Se você diz:
— *Tenho medo das forças do mal...*

Deus tem um recado para você:
— *Eu protejo todo aquele que nasceu de mim, e o Maligno não o atinge. Submeta-se a mim, resista ao Diabo, e ele fugirá de você. Pode confiar.*

Confie nestas palavras

Finalmente, fortaleçam-se no Senhor e no seu forte poder. Vistam toda a armadura de Deus, para poderem ficar firmes contra as ciladas do Diabo.

Efésios 6.10-11

[Jesus] também participou dessa condição humana, para que, por sua morte, derrotasse aquele que tem o poder da morte, isto é, o Diabo, e libertasse aqueles que durante toda a vida estiveram escravizados pelo medo da morte.

Hebreus 2.14-15

Filhinhos, não deixem que ninguém os engane. Aquele que pratica a justiça é justo, assim como ele é justo. Aquele que pratica o pecado é do Diabo, porque o Diabo vem pecando desde o princípio. Para isso o Filho de Deus se manifestou: para destruir as obras do Diabo.

1João 3.7-8

———————— Aos pés do Senhor ————————

Pai, sempre tive medo das forças espirituais do mal. Obrigado pela certeza de que tu proteges todos os que buscam socorro em ti, pois sei que, se estiver debaixo de tua mão, o Maligno não tem como me tocar. Desejo sempre me submeter à tua vontade, para que nenhum mal me alcance. Protege-me, Deus. Amém.

20

Confiança que vence o medo da vontade de Deus

> Eu sou o Deus todo-poderoso; ande segundo a minha vontade e seja íntegro.
>
> Gênesis 17.1

Certo casal muito temente a Deus teve enorme dificuldade para conceber um filho. Aquele era o sonho deles havia anos, mas, infelizmente, a esposa tinha algum problema que a impedia de engravidar. Quando tudo parecia perdido, finalmente veio a grande notícia: grávida! Você pode imaginar a festa que foi, a alegria e as lágrimas de emoção de toda a família. O menino nasceu com saúde e cresceu forte, e tudo parecia indicar que agora seria só felicidade. O pai, muito crente, entendeu que era da vontade do Senhor que seu herdeiro tivesse vida longa, até que... o inesperado pulou na frente do caminho na forma de uma ordem divina que ia diametralmente contra a vontade daquele pai.

Deus ordenou que o homem fizesse algo inimaginável: matasse a criança! Pode fazer cara de espanto, porque, realmente, é uma demonstração espantosa da vontade divina. Mas, por mais espantosa que fosse, era a vontade do Criador dos céus e da terra. E agora? Como lidar com isso? Não fazia sentido nem tinha lógica. Contrariando tudo o que parecia ser o bom senso, no entanto, aquele pai acatou os desígnios do Pai celestial. Ele conhecia bem o Deus a quem seguia e sabia que ir contra a vontade do Todo-poderoso estava fora de cogitação. Porém, por mais obediente que fosse, aquele homem era humano. Amava o filho, por quem passara décadas esperando. Impossível imaginar o que se passava na mente e no coração daquele pai quando levou o menino a um local deserto e colocou-o na posição para ser executado. Tomou a faca. Ergueu a mão para desferir o golpe fatal. E...

"Abraão! Não toque no rapaz. Não lhe faça nada. Agora sei que você teme a Deus, porque não me negou seu filho, o seu único filho."

Abraão. Sua história parece surreal. Afinal, Deus tinha lhe prometido um filho e afirmado que faria com a descendência dele uma "aliança eterna" (Gn 17.19). Depois, porém, ordenou que o assassinasse. Como pode? Muitos, no lugar de Abraão, teriam questionado a Deus. Mas Abraão não: ele desconsiderou a aparente insanidade de tudo aquilo. Por quê? "Abraão creu em Deus, e isso lhe foi creditado como justiça" (Rm 4.3).

O relato desse episódio mostra uma realidade comum a muitas pessoas: não são poucas as vezes que a vontade de Deus nos assusta. Como não enxergamos o futuro, muito do que o Onisciente faz parece não ter lógica. Mas, se confiamos que a vontade de Deus é sempre o melhor, não ficaremos ansiosos ou temerosos em nenhuma circunstância, na certeza de que o importante é que os propósitos divinos se cumpram.

Por mais paradoxal que possa parecer, muitas pessoas têm medo da vontade de Deus por uma simples razão: ela pode ser diferente da delas. Não querermos abrir mão de nossos planos, dos destinos que traçamos, das escolhas que fizemos. Mas o Todo-poderoso nos diz: "Assim como os céus são mais altos do que a terra, também os meus caminhos são mais altos do que os seus caminhos, e os meus pensamentos, mais altos do que os seus pensamentos" (Is 55.9). E devemos ter sempre em mente que a vontade de Deus é "boa, agradável e perfeita" (Rm 12.2).

Você está entre os que têm medo da vontade de Deus? Então mire-se no exemplo de Abraão: confie. Assim como fez o patriarca, não abra mão da fé que tem no fato de o Senhor controlar tudo. "Não abram mão da confiança que vocês têm; ela será ricamente recompensada. Vocês precisam perseverar, de modo que, quando tiverem feito a vontade de Deus, recebam o que ele prometeu" (Hb 10.35-36). É importante ter a consciência de que, se sua confiança em Deus não for inabalável, no momento em que ele disser *não* à sua vontade e puser a *dele* em prática, o resultado serão sentimentos de revolta, sofrimento e angústia.

Por outro lado, se confiar e estiver aberto à vontade divina, responderá a toda e qualquer circunstância como Paulo, quando ouviu de Deus *não* como resposta ao seu pedido: "Por isso, por amor de Cristo, regozijo-me nas fraquezas, nos insultos, nas necessidades, nas perseguições, nas angústias. Pois, quando sou fraco é que sou forte" (2Co 12.10). Você é capaz de dizer o mesmo quando Deus contraria sua vontade? O que fica claro nessa afirmação é que o apóstolo se alegrava mesmo em situações difíceis, desde que fosse por amor de Cristo — logo, em decorrência do cumprimento da vontade do Senhor.

Esse é um ponto importante. Não necessariamente o caminho da vontade de Deus nos leva a um iate, a uma mansão ou a uma praia paradisíaca. Aliás, é extremamente provável que não seja o caso. Assim, para cumprir os propósitos divinos, muitas vezes teremos de andar por estradas bastante pedregosas e enlameadas. E, aí, vêm o medo e a ansiedade. A boa notícia é que, sempre que momentos de turbulência ocorrem por navegarmos pelos mares que o Senhor estabeleceu, isso acontece para que algo melhor venha depois — pois o Pai não é sádico ou mau, mas bom e gracioso. A própria paixão e morte de Jesus foi um ato de confiança do Filho no Pai:

Foi da vontade do Senhor esmagá-lo e fazê-lo sofrer, e, embora o Senhor tenha feito da vida dele uma oferta pela culpa, ele verá sua prole e prolongará seus dias, e a vontade do Senhor prosperará em sua mão. Depois do sofrimento de sua alma, ele verá a luz e ficará satisfeito; pelo seu conhecimento meu servo justo justificará a muitos, e levará a iniquidade deles.

Isaías 53.10-11

O cumprimento da vontade do Pai traria dor ao Cordeiro que se sacrificaria pelos pecados do mundo. Ainda assim, por saber que seu sofrimento justificaria muitos e levaria a iniquidade deles, Cristo foi capaz de dizer: "Meu Pai, se não for possível afastar de mim este cálice sem que eu o beba, faça-se a tua vontade" (Mt 26.42). Entrega. Fé. Confiança.

Só temos confiança em quem conhecemos. Se soubermos quem é Deus, o que só é possível pelo estudo das Escrituras e por uma vida de oração, confiaremos nele. Assim, também seremos capazes de dizer, nas boas e nas más circunstâncias: "Seja feita a tua vontade, assim na terra como no céu" (Mt 6.10).

Busque cada vez mais conhecer o Senhor, para que sua confiança nele seja construída sobre terreno firme e sólido. E essa confiança crescerá a tal ponto que, não importam as circunstâncias, você saberá que a vontade de Deus é o que há de mais espetacular para sua vida.

Uma mensagem de esperança

Se você diz:
— *Tenho medo da vontade de Deus...*

Deus tem um recado para você:
— *Minha vontade é boa, agradável e perfeita, mesmo que contrarie a sua. Pode confiar.*

Confie nestas palavras

Vocês, orem assim: "Pai nosso, que estás nos céus! Santificado seja o teu nome. Venha o teu Reino; seja feita a tua vontade, assim na terra como no céu".

Mateus 6.9-10

Então [Jesus] olhou para os que estavam assentados ao seu redor e disse: "Aqui estão minha mãe e meus irmãos! Quem faz a vontade de Deus, este é meu irmão, minha irmã e minha mãe".

Marcos 3.34-35

Porque Deus nos escolheu nele antes da criação do mundo, para sermos santos e irrepreensíveis em sua presença. Em amor nos predestinou para sermos adotados como filhos, por meio de Jesus Cristo, conforme o bom propósito da sua vontade.

Efésios 1.4-5

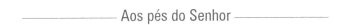

Aos pés do Senhor

Pai maravilhoso, reconheço que muitas vezes tenho medo de tua vontade para minha vida. Sei que teus caminhos são excelentes, mas sou humano e receio ter de passar por terrenos pedregosos. Fortalece minha fé, para que eu ande sobre as águas turbulentas sem medo de afundar, se essa for a tua boa, agradável e perfeita vontade. Amém.

21

Confiança que vence o medo de fracassar

Ouçam agora, vocês que dizem: "Hoje ou amanhã iremos para esta ou aquela cidade, passaremos um ano ali, faremos negócios e ganharemos dinheiro". Vocês nem sabem o que lhes acontecerá amanhã! Que é a sua vida? Vocês são como a neblina que aparece por um pouco de tempo e depois se dissipa. Ao invés disso, deveriam dizer: "Se o Senhor quiser, viveremos e faremos isto ou aquilo".

Tiago 4.13-15

Quem não quer ser bem-sucedido no que faz? Sejamos francos: ninguém gosta de fracassar. Por isso, sempre que traçamos planos e estabelecemos metas, criamos a expectativa de que aquilo que almejamos obtenha o melhor resultado possível. E, onde existe expectativa, há o risco de frustração. Por isso, muitas e muitas vezes, ficamos ansiosos, sem saber se nossos projetos terão êxito ou se daremos com os burros n'água. Vou passar na prova? Meu negócio vai dar certo? Terei um casamento feliz? O livro que escrevi vai abençoar os leitores? As dúvidas se acumulam, e o medo e a ansiedade se avolumam. Felizmente, a Bíblia nos oferece respostas e, se você confia nelas, o caminho será muito menos tortuoso.

Antes de tudo, precisamos entender o que significa ser *bem-sucedido*. Na definição do dicionário, é "o que tem ou teve bom sucesso". E o que é sucesso? "Bom resultado; *êxito*, triunfo". Em oposição a isso, "fracasso" é, exatamente, "falta de *êxito*".[1]

Portanto, fica claro que fracassar é o oposto de ser bem-sucedido. Com isso em mente, vejamos o que as Escrituras nos dizem sobre como ser bem-sucedido em nossos planos.

A Bíblia relata a história de Ezequias, um dos reis de Judá. É importante ressaltar que ele *"confiava* no Senhor, o Deus de Israel" (2Rs 18.5). Essa confiança fez que ele se apegasse ao Senhor e não deixasse de segui-lo. O Texto Sagrado ressalta ainda que Ezequias "obedeceu aos mandamentos que o Senhor tinha dado a Moisés. E o Senhor estava com ele; era *bem-sucedido* em tudo o que fazia" (2Rs 18.6-7). Começamos a perceber que confiar em Deus e obedecer-lhe é o caminho do sucesso. Isso se mostra com clareza também em muitas outras passagens das Escrituras. Veja, por exemplo, o que disse Moisés ao povo de Israel: "O Senhor nos ordenou que obedecêssemos a todos estes decretos e que temêssemos o Senhor, o nosso Deus, para que sempre fôssemos *bem-sucedidos*..." (Dt 6.24). O próprio Deus confirmou isso quando disse a Josué, sucessor de Moisés na liderança dos israelitas: "Tenha o cuidado de obedecer a toda a lei que o meu servo Moisés lhe ordenou; não se desvie dela, nem para a direita nem para a esquerda, para que você seja *bem-sucedido* por onde quer que andar" (Js 1.7).

Confiança. Obediência. Temor. O segredo para não fracassar começa a ficar claro. Mas... por quê? Por que, afinal, o respeito e o relacionamento com Deus é o que nos permite ter a tranquilidade de que não fracassaremos? Neemias responde: "O Deus dos céus fará que sejamos *bem-sucedidos*" (Ne 2.20). *Deus* é quem nos torna bem-sucedidos em algo. Portanto, é impossível obter sucesso se o Todo-poderoso não decretar que isso aconteça.

Você tem medo de fracassar? O segredo para ter paz ao traçar seus planos é simples: confie em Deus e seja obediente, procurando consagrar tudo o que fizer a ele. Assim diz a Bíblia:

"Ao homem pertencem os planos do coração, mas do Senhor vem a resposta da língua [...]. Consagre ao Senhor tudo o que você faz, e os seus planos serão *bem-sucedidos*" (Pv 16.1,3).

É uma equação simples. Deus tem propósitos para você. Ele sabe aonde quer levar sua vida. Por isso, se você não deseja fracassar, precisa ajustar sua vontade à vontade do Senhor. "Sei que podes fazer todas as coisas; nenhum dos teus planos pode ser frustrado" (Jó 42.2), disse Jó a Deus. E disse bem, porque o Onisciente não conhece frustração. Quem se frustra somos nós, caso nossos planos caminhem em desacordo com os do Senhor. "O Senhor desfaz os planos das nações e frustra os propósitos dos povos. Mas os planos do Senhor permanecem para sempre, os propósitos do seu coração, por todas as gerações" (Sl 33.10-11).

Tenha uma rotina de oração e de estudo da Bíblia. Dessa maneira, você tomará conhecimento das vontades do Senhor, desenvolverá relacionamento com ele e, assim, poderá traçar seus planos e tomar suas decisões em acordo com o que Deus especificou para sua vida. Você confia nisso? Confia que, se conhecer a vontade de Deus, poderá traçar seus planos sempre em acordo com o que ela determina? Então confio que você será bem-sucedido.

Não é à toa que Jesus, ao ensinar a Oração do Pai-nosso, nos orientou a sempre fazer uma petição absolutamente importante e indispensável: "Pai nosso, que estás nos céus! [...] *seja feita a tua vontade*, assim na terra como no céu" (Mt 6.9-10). A vontade de Deus sempre se cumprirá.

Repito: dedique-se a conhecer o coração do Senhor, pela leitura e o estudo da Bíblia. Desenvolva um relacionamento com ele, por meio da oração. Confie nele. Obedeça-lhe. Caminhe com o Senhor. E o fracasso desaparecerá da sua vida — assim como o medo de fracassar.

Uma mensagem de esperança

Se você diz:
— *Tenho medo de fracassar...*

Deus tem um recado para você:
— *Trace seus planos de acordo com a minha vontade, revelada nas Escrituras, e você será bem-sucedido em tudo o que fizer. Pode confiar.*

Confie nestas palavras

Obedeça ao que o Senhor, seu Deus, exige: ande nos seus caminhos e obedeça aos seus decretos, aos seus mandamentos, às suas ordenanças e aos seus testemunhos [...]; assim você prosperará em tudo que fizer e por onde quer que for.

1Reis 2.3

Como é feliz aquele que não segue o conselho dos ímpios, não imita a conduta dos pecadores, nem se assenta na roda dos zombadores! Ao contrário, sua satisfação está na lei do Senhor, e nessa lei medita dia e noite. É como árvore plantada à beira de águas correntes: Dá fruto no tempo certo e suas folhas não murcham. Tudo o que ele faz prospera!

Salmos 1.1-3

A ti, Senhor, elevo a minha alma. Em ti confio, ó meu Deus. Não deixes que eu seja humilhado, nem que os meus inimigos triunfem sobre mim! Nenhum dos que esperam em ti ficará decepcionado.

Salmos 25.1-3

Aos pés do Senhor

Pai, tenho muitos planos, mas enfrento o medo de fracassar em minhas iniciativas. Obrigado pela certeza de que, se meus sonhos estiverem dentro dos teus propósitos, serei bem-sucedido em tudo o que fizer. Revela-me sempre o teu querer, por meio da tua Palavra, para que eu nunca me desvie da tua vontade. Amém.

22

Confiança que vence o medo da perseguição

> Por esta causa nos gloriamos em vocês entre as igrejas de Deus pela perseverança e fé demonstrada por vocês em todas as perseguições e tribulações que estão suportando. Elas dão prova do justo juízo de Deus e mostram o seu desejo de que vocês sejam considerados dignos do seu Reino, pelo qual vocês também estão sofrendo.
>
> 2Tessalonicenses 1.4-5

O assombro foi geral: em 2015, militantes do grupo terrorista Estado Islâmico divulgaram pela Internet vídeos em que decapitavam, queimavam vivos ou afogavam dentro de jaulas homens e mulheres cristãos. Esses episódios, no entanto, não são novidade na história da cristandade. Desde Estêvão, o primeiro mártir, pessoas são perseguidas e mortas por amor a Jesus.

O cristianismo é a religião que mais sofre com a perseguição religiosa em todo o mundo. Segundo a respeitada organização Pew Forum on Religion and Public Life, os cristãos sofrem assédio do Estado ou da sociedade em 133 países, isto é, 2/3 das nações do planeta, mais que qualquer outro grupo religioso. Tanto que 75% dos atos de intolerância religiosa registrados no mundo têm os cristãos como vítimas.[1]

No Brasil, não sofremos uma perseguição religiosa severa. Ninguém nos prende, tortura ou mata por seguirmos Cristo ou lermos a Bíblia. No entanto, qualquer cristão sabe o que é ser alvo de piadas, constrangimentos, preconceitos e segregação.

Muitos chegam a esconder sua fé de colegas de trabalho ou de estudo, com medo de sofrer algum tipo de discriminação.

Nos últimos anos, a situação tem piorado muito. Leis e projetos de lei ameaçam cercear o direito de proclamarmos o que a Bíblia diz. Militantes de organizações ateístas ou favoráveis a ideologias e práticas contrárias aos valores cristãos têm se levantado em nosso país numa guerra feroz contra a mensagem do evangelho de Jesus Cristo. A mídia tenta manipular a opinião pública em favor de práticas e princípios anticristãos, por meio de novelas, *shows* de humor e programas de auditório.

A verdade é que é impossível ser cristão sem ser alvo de algum tipo de perseguição religiosa, em maior ou menor escala. A Bíblia prevê isso: "De fato, todos os que desejam viver piedosamente em Cristo Jesus serão perseguidos" (2Tm 3.12). O sistema de valores de uma sociedade sem Deus não suporta aquilo que Jesus pregou. É uma afronta para ela. Por isso, onde a luz brilha, há sempre ferrenha oposição das forças da escuridão. Sempre foi assim, desde que Cristo caminhou sobre a terra. Ele mesmo disse:

> Se o mundo os odeia, tenham em mente que antes me odiou. Se vocês pertencessem ao mundo, ele os amaria como se fossem dele. Todavia, vocês não são do mundo, mas eu os escolhi, tirando-os do mundo; por isso o mundo os odeia. [...] Se me perseguiram, também perseguirão vocês. Se obedeceram à minha palavra, também obedecerão à de vocês.
>
> João 15.18-20

Sim, como fizeram com Cristo, fazem com seus seguidores. Quando lemos as profecias bíblicas sobre o fim dos tempos, vemos que a perseguição aos cristãos ocorrerá até os últimos instantes de nossa era. Assim respondeu o Mestre ao ser perguntado sobre quais seriam os sinais do fim deste mundo: "... eles os entregarão para serem perseguidos e condenados à morte, e vocês serão odiados por todas as nações por minha causa" (Mt 24.9).

Se você é cristão, é compreensível que fique ansioso diante desse quadro. Mas, se a angústia lhe aperta o coração, então você precisa saber de uma realidade bíblica: sempre que as Escrituras fazem referência à perseguição que sofremos ou sofreremos por amor a Jesus, também fazem lindas promessas.

> Bem-aventurados os perseguidos por causa da justiça, pois deles é o Reino dos céus. Bem-aventurados serão vocês quando, por minha causa, os insultarem, os perseguirem e levantarem todo tipo de calúnia contra vocês. Alegrem-se e regozijem-se, porque grande é a sua recompensa nos céus, pois da mesma forma perseguiram os profetas que viveram antes de vocês.
> Mateus 5.10-12

Você sofre perseguição em casa, no trabalho, na escola ou na faculdade por sua fé? É motivo de piadas por viver segundo os princípios cristãos? Já chegou até mesmo a sofrer algum tipo de dano ou perda porque se recusou a trair os valores em que acredita? Se isso ocorre em sua vida, é importante que confie nesta realidade: você não passa por isso sozinho. Jesus, que sofreu severa perseguição em sua vida terrena, vive tudo isso junto com você. Ele não o deixa só: "De todos os lados somos pressionados, mas não desanimados; ficamos perplexos, mas não desesperados; *somos perseguidos, mas não abandonados*; abatidos, mas não destruídos" (2Co 4.8-9).

Note bem: não somos abandonados em meio à perseguição. Isso significa que a promessa de Cristo se cumpre nesses momentos: "E eu estarei sempre com vocês, até o fim dos tempos" (Mt 28.20). E precisamos nos portar como a Bíblia ensina: "Quando somos amaldiçoados, abençoamos; *quando perseguidos, suportamos*; quando caluniados, respondemos amavelmente" (1Co 4.12-13).

Lembra-se da história de Sadraque, Mesaque e Abede-Nego, os servos de Deus que, levados à Babilônia, foram perseguidos por se recusarem a ir contra os princípios de sua fé e acabaram condenados a ser queimados numa fornalha ardente (Dn 3)? Quando confrontados pelo rei Nabucodonosor, deram uma resposta que mostra toda a confiança que tinham no Senhor:

> Se formos atirados na fornalha em chamas, o Deus a quem prestamos culto pode livrar-nos, e ele nos livrará das tuas mãos, ó rei. Mas, se ele não nos livrar, saiba, ó rei, que não prestaremos culto aos teus deuses nem adoraremos a imagem de ouro que mandaste erguer.
> Daniel 3.17-18

Eles confiaram em Deus, que, por sua vez, não os abandonou. Pelo contrário, os livrou. E, ao ver o livramento que o Todo-poderoso trouxe aos três servos fiéis, o próprio perseguidor glorificou o verdadeiro Deus:

> Disse então Nabucodonosor: "Louvado seja o Deus de Sadraque, Mesaque e Abede-Nego, que enviou o seu anjo e livrou os seus servos! Eles *confiaram* nele, desafiaram a ordem do rei, preferindo abrir mão de sua vida a prestar culto e adorar a outro deus que não fosse o seu próprio Deus".
> Daniel 3.28

Você vive sob o peso de ansiedade por tudo que sofre em razão da sua fé cristã? *Confie*. O Deus de Sadraque, Mesaque e Abede-Nego é o mesmo que adotou você como filho. Se confiar que seu Pai não o abandonou e usará seu sofrimento para a glória e o louvor dele, você poderá dizer como Paulo: "Por amor de Cristo, regozijo-me nas fraquezas, nos insultos, nas necessidades, nas perseguições, nas angústias. Pois, quando sou fraco é que sou forte" (2Co 12.10).

Uma mensagem de esperança

Se você diz:
— *Tenho medo da perseguição...*

Deus tem um recado para você:
— *Se for perseguido, eu estarei com você. E, em meio à perseguição, você será bem-aventurado, e eu serei glorificado. Pode confiar.*

Confie nestas palavras

Se o mundo os odeia, tenham em mente que antes me odiou. Se vocês pertencessem ao mundo, ele os amaria como se fossem dele. Todavia, vocês não são do mundo, mas eu os escolhi, tirando-os do mundo.

João 15.18-19

Quem nos separará do amor de Cristo? Será tribulação, ou angústia, ou perseguição, ou fome, ou nudez, ou perigo, ou espada? [...] Mas, em todas estas coisas somos mais que vencedores, por meio daquele que nos amou.

Romanos 8.35,37

Por esta causa nos gloriamos em vocês entre as igrejas de Deus pela perseverança e fé demonstrada por vocês em todas as perseguições e tribulações que estão suportando. Elas dão prova do justo juízo de Deus e mostram o seu desejo de que vocês sejam considerados dignos do seu Reino, pelo qual vocês também estão sofrendo.

2Tessalonicenses 1.4-5

Aos pés do Senhor

Pai protetor, vivemos dias difíceis, em que estamos sujeitos aos mais variados tipos de perseguição. Ligo a televisão e leio os jornais, e o que vejo me apavora. Ao mesmo tempo, confio em ti e na tua afirmação de que somos bem-aventurados quando somos perseguidos. Fica comigo e protege-me, para a tua glória. Amém.

23

CONFIANÇA QUE VENCE O MEDO DE SER INCAPAZ OU INDIGNO

"Ah, Senhor", respondeu Gideão, "como posso libertar Israel? Meu clã é o menos importante de Manassés, e eu sou o menor da minha família." "Eu estarei com você", respondeu o SENHOR.
JUÍZES 6.15-16

Um programa de rádio me convidou para responder às perguntas de ouvintes sobre casamento, família, relacionamentos, sexualidade e temas correlatos. Confesso que me amedrontei. Temeroso, minha reação imediata foi recusar. Afinal, eu tinha a consciência de que havia muitas pessoas infinitamente mais bem preparadas que eu para falar dos temas referidos. Não digo isso com nenhuma falsa modéstia; é a mais pura constatação da realidade. Não sou psicólogo, nem sexólogo. Sou apenas um teólogo. Assim, disse ao responsável pelo programa que eu não era o convidado certo.

Mas ele insistiu. Por isso, orei e comecei a pensar em tudo o que aparece em nosso caminho e que nos amedronta porque não nos sentimos qualificados para fazer. É algo que pode ocorrer em qualquer área da vida. (Já teve de trocar uma tomada sem saber nada de eletricidade ou consertar a descarga do vaso sanitário sem entender a diferença entre um parafuso e uma mola? Esse sou eu…) E então, o que fazer? Deixar-se consumir pelo medo e a ansiedade?

Não tenha a menor dúvida de que o melhor é ser um especialista no assunto. Seja qual for a atividade que o chamaram para realizar, o ideal é que você se aprofunde, leia livros que tratem do tema, estude com dedicação, faça o que estiver ao alcance para se desenvolver. Mas, se você não for um especialista e, ainda assim, o chamarem para uma tarefa, confie que, se Deus entregou algo em suas mãos, ele o capacitará.

José não nasceu governador do Egito, mas Deus o elevou a tal posição. Davi era pastor de ovelhas, mas o Senhor o convocou para se tornar guerreiro e rei. Pedro era pescador, mas Deus o chamou para ser pregador. Moisés... bem, basta ler o diálogo que ele teve com o Senhor diante da sarça ardente (Êx 3—4) para ver quanto aquele homem se sentia despreparado para realizar a missão que lhe era confiada. Os exemplos são muitos. Conheço pastores que nunca cursaram um seminário mas são cuidadores de almas inquestionavelmente mais gabaritados, sábios e competentes que muitos sacerdotes com doutorado em teologia. Se Deus o convocou para realizar algo, não se sinta incapaz: mãos à obra!

Houve, porém, uma segunda razão para eu querer, de cara, recusar o convite para falar sobre vida familiar, relacionamentos e sexualidade. A questão é que eu mesmo já falhei tanto nessas áreas que me senti realmente indigno de abordar tais assuntos. Não pense você que nunca tive problemas familiares. Claro que tive. Já errei e deixei a desejar inúmeras vezes — como filho, marido e pai.

Todos nós estamos longe, muito longe, da perfeição. Mas, então, na oração que fiz após receber o convite, veio ao meu coração a lembrança de que Deus chamou pecadores para pregarem contra o pecado. Convocou abatidos para proclamarem a alegria. Conclamou doentes a orarem pelos enfermos. Exortou carentes a anunciarem a plenitude. Deus nunca chamou pessoas irretocáveis para cumprirem seus propósitos — ele só usa gente falha. Ou você acha mesmo que existem super-humanos?

Não viemos de Krypton: fomos gerados em pecado e, embora tenhamos sido justificados pela graça, seguimos atrelados ao "corpo sujeito a esta morte". O sincero apóstolo Paulo confessou:

> Sei que nada de bom habita em mim, isto é, em minha carne. Porque tenho o desejo de fazer o que é bom, mas não consigo realizá-lo. Pois o que faço não é o bem que desejo, mas o mal que não quero fazer, esse eu continuo fazendo. Ora, se faço o que não quero, já não sou eu quem o faz, mas o pecado que habita em mim. Assim, encontro esta lei que atua em mim: Quando quero fazer o bem, o mal está junto a mim. No íntimo do meu ser tenho prazer na Lei de Deus; mas vejo outra lei atuando nos membros do meu corpo, guerreando contra a lei da minha mente, tornando-me prisioneiro da lei do pecado que atua em meus membros. Miserável homem que eu sou! Quem me libertará do corpo sujeito a esta morte?
>
> Romanos 7.18-24

O pecado que habita em nós cisma em não ir embora, e nossa natureza aguarda a ressurreição em glória, quando — e só então — estaremos livres de errar. Até lá, a coisa continua feia. Mas, mesmo em meio a toda essa feiura, Deus nos convoca para proclamar a beleza das virtudes. Não conheço um único pregador que suba ao púlpito sem pecados, erros e fraquezas nas costas. Nenhum. Se você conhece alguém assim, desconfie de que é Jesus Cristo disfarçado — porque só ele é puro, só ele é digno (Ap 5.2-5).

Nem uma única alma está isenta de indignidade. Quem nos dignifica é Cristo. Quando essa ficha caiu, percebi que não era a *minha* dignidade ou a *minha* infalibilidade que me tornaria apto a falar verdades bíblicas: o que tem efeito são a dignidade e a infalibilidade de Jesus e da Palavra de Deus. A leitura do trecho a seguir me acendeu a confiança no Senhor, afastou a ansiedade e eliminou o medo:

Não pregamos a nós mesmos, mas a Jesus Cristo, o Senhor, e a nós como escravos de vocês, por causa de Jesus. Pois Deus, que disse: "Das trevas resplandeça a luz", ele mesmo brilhou em nossos corações, para iluminação do conhecimento da glória de Deus na face de Cristo. Mas temos esse tesouro em vasos de barro, para mostrar que este poder que a tudo excede provém de Deus, e não de nós.

2Coríntios 4.5-7

Foi assim, com total consciência de que não sou a pessoa mais bem preparada do mundo e de que sou totalmente indigno de fazê-lo, que aceitei participar do programa de rádio.

E você? Quantas vezes deixou de desempenhar uma tarefa por se sentir despreparado? Se Deus pôs tal tarefa em suas mãos, vá em frente! Se tem dúvidas de que foi Deus, busque o esclarecimento em oração. Do contrário, seja forte e corajoso, não tema nem desanime. Porque, se o Senhor o convocou, ele garante. Acredite: nada nem ninguém impedirá Deus de usar sua vida em prol de seus grandes, graciosos e eternos propósitos.

Uma mensagem de esperança

Se você diz:
— *Tenho medo de ser incapaz ou indigno...*

Deus tem um recado para você:
— *Se eu entreguei essa tarefa em suas mãos é porque é você quem deve desempenhá-la. Eu o capacitarei e o dignificarei. Pode confiar.*

Confie nestas palavras

Muitas são as dores dos ímpios, mas a bondade do Senhor protege quem nele confia. Alegrem-se no Senhor e exultem, vocês que são justos! Cantem de alegria, todos vocês que são retos de coração!

Salmos 32.10-11

Melhor será que tema sempre o Senhor. Se agir assim, certamente haverá bom futuro para você, e a sua esperança não falhará.
Provérbios 23.17-18

A minha salvação durará para sempre, a minha retidão jamais falhará.
Isaías 51.6

---------- Aos pés do Senhor ----------

Pai, muitas vezes a ansiedade me invade, por eu me sentir incapaz ou indigno das tarefas que chegam às minhas mãos. Mas confio que tu me capacitas para realizar aquilo que me confiaste, por isso peço que fortaleças a minha fé, a fim de que eu consiga cumprir minhas obrigações e atribuições com destemor. Amém.

24

Confiança que vence o medo de não ser aceito pelas pessoas

O Senhor não vê como o homem: o homem vê a aparência, mas o Senhor vê o coração.

1Samuel 16.7

Quando eu era adolescente, tinha sérios problemas de autoestima. E isso por uma razão anatômica: eu era magro de dar dó. Com 1,80 metro de altura e 55 quilos, parecia uma vassoura ou, como minha mãe costumava dizer, um "espanador da lua" — apelido que não me ajudava muito, diga-se de passagem. Eu vivia a época em que deveria afirmar minha identidade e começava a me interessar pelo sexo oposto, mas minha autoestima andava no subsolo. Olhava no espelho e só contemplava o esqueleto por baixo da pele. Aos meus olhos, eu era um horror, uma pessoa desinteressante que não tinha nada a oferecer. O resultado é que desenvolvi pavor de encontros sociais. Sempre me sentia um peixe fora d'água, com a certeza de que estariam cochichando a meu respeito. Acabei me tornando um adolescente extrovertido, mas relativamente solitário por dentro, que tinha amigos bastante seletos e encontrava prazerosa companhia nos livros. Logo, sei por experiência como o medo de não ser aceito pode provocar grandes crises de ansiedade.

Esse medo, gerado pela baixa autoestima, se manifesta por diversas razões, em diferentes tipos de pessoas. Em nossos dias, um grupo sofre o mesmo que eu pelos motivos opostos: o dos gordinhos. Numa época de ditadura da magreza, são estigmatizados e acabam estigmatizando a si mesmos. Diante das muitas barreiras sociais, buscam soluções muitas vezes extremas, como cirurgias, medicamentos pesados e dietas irreais. Mas há muitos outros grupos que sofrem com o medo dos olhares da sociedade, por motivos de raça, credo, nível social, aparência e tantos outros.

Como anda sua autoestima? Será que você ama a pessoa que vê no espelho ou tem dificuldade de valorizar a si mesmo? Não estou falando apenas de estética, mas de tudo o que tem a ver com quem você é. Há pessoas que, se pudessem, pegariam suas malas e mudariam de vida, por desprezar sua aparência, por não apreciar seu intelecto, por detestar suas realizações ou simplesmente por crer que não valem tanto assim. Essa baixa autoestima acaba gerando pessoas tímidas, introvertidas, tristes, retraídas, deprimidas ou, até mesmo, revoltadas.

Muitas vezes, essa distorção na percepção que o indivíduo tem de si mesmo o leva ao medo de se expor, chegando a sabotar a própria vida a fim de evitar os olhares alheios. Com isso, deixa de viver situações maravilhosas com receio da rejeição. Pensa coisas como "Não vou conseguir", "Não vai dar certo", "Ninguém vai gostar", "Vão rir de mim", e ideias semelhantes. Quem tem baixa autoestima se dá menos valor do que de fato tem.

O fato é que ninguém nasce com baixa autoestima. Essa é uma característica que se adquire com o tempo, em decorrência de um evento específico ou de um processo em algum momento da vida. A pessoa pode ter sofrido críticas excessivas ou desprezo dos pais, *bullying* dos colegas ou algum outro tipo de rejeição social. Talvez fracassos sucessivos na área sentimental, ou insucessos nos estudos ou na vida profissional. Muita coisa pode levar alguém a menosprezar a si mesmo e acreditar que vale pouco. Se é o seu caso, você precisa identificar em que momento e por que surgiu o problema e tratar essa ferida, seja com ajuda espiritual, seja com ajuda psicológica — ou ambas. Mas, além de amparo "especializado", gente comum, como você e eu, pode contribuir enormemente para convencer alguém a acreditar no próprio valor.

Um dos maiores antídotos contra o veneno da baixa autoestima é o *elogio*. É incrível como palavras positivas e de afirmação são capazes de mudar vidas. Isso ocorre porque quem sofre desse mal pensa que, por ele próprio se enxergar negativamente, os outros também o farão. Assim, quando você começa a apontar as qualidades da pessoa, isso interfere profundamente na forma como ela se vê. A primeira reação será de incredulidade, pois ela não acreditará no que você diz. Mas a constante afirmação de suas boas características e ações aos poucos fará efeito, e ela começará a enxergar-se como alguém de valor. E entenda: não se trata de inventar qualidades, mas de mostrar o que ela tem de bom embora não esteja enxergando.

Não fui eu quem inventou isso: foi Deus. Ele gosta de mostrar a seus filhos como eles são preciosos. Repare as verdades celestiais a nosso respeito ditas por meio do apóstolo Pedro:

> Vocês, porém, são geração eleita, sacerdócio real, nação santa, povo exclusivo de Deus, para anunciar as grandezas daquele que os chamou das trevas para a sua maravilhosa luz. Antes vocês nem sequer eram povo, mas agora são povo de Deus; não haviam recebido misericórdia, mas agora a receberam.
>
> 1Pedro 2.9-10

Uau! Haveria palavras de afirmação mais significativas que essas? Não sei como você se sente ao saber que é assim que o Senhor o vê, mas eu me sinto especial. Raça eleita. Nação santa. Propriedade exclusiva de Deus. E isso sendo eu uma pessoa falha e cheia de defeitos! E, se você também tem uma aliança com Jesus, com todos os nossos defeitos é isto que somos: eleitos. Santos. Exclusivos.

Quando se refere a Jó, por exemplo, o Pai usa palavras extremamente elogiosas: "Não há ninguém na terra como ele, irrepreensível, íntegro, homem que teme a Deus e evita o mal" (Jó 1.8). A Gideão, que se via desta maneira: "Meu clã é o menos importante de Manassés, e eu sou o menor da minha família", o Senhor diz que o vê como um "poderoso guerreiro" (Jz 6.12-15). No Sermão do Monte, Cristo afirma a seus seguidores, oprimidos pelo Império Romano, que eram, na verdade, o "sal da terra" e a "luz do mundo" (Mt 5.13-14). De fato, Deus constantemente reafirma nosso valor.

Você sofre de baixa autoestima? Então procure nas Escrituras aquilo que o Deus onisciente pensa a seu respeito. Sim, você não é perfeito; é falho e cheio de defeitos. Mas, a partir do momento em que Jesus subiu à cruz por sua causa, não é nada disso que o Pai vê quando olha para você. Confie: ele o vê como filho! Luz do mundo! Eleito! Santo! Exclusivo!

Você pode achar que vale pouco ou nada. Mas sabe quanto você vale aos olhos do seu Pai? Bem... na verdade, é impossível responder a essa pergunta, pois, para Deus, você simplesmente não tem preço.

Uma mensagem de esperança

Se você diz:
— *Tenho medo de não ser aceito pelas pessoas...*

Deus tem um recado para você:
— *Eu amo você, com tudo aquilo que o faz ter baixa autoestima. Você é tão valioso que entreguei meu Filho Unigênito para que, pela fé nele, você não pereça, mas tenha a vida eterna. Pode confiar.*

Confie nestas palavras

Todos vocês são filhos de Deus mediante a fé em Cristo Jesus, pois os que em Cristo foram batizados, de Cristo se revestiram. Não há judeu nem grego, escravo nem livre, homem nem mulher; pois todos são um em Cristo Jesus. E, se vocês são de Cristo, são descendência de Abraão e herdeiros segundo a promessa.

Gálatas 3.26-29

Vocês foram comprados por alto preço.

1Coríntios 7.23

Habitarei com eles e entre eles andarei; serei o seu Deus, e eles serão o meu povo.

2Coríntios 6.16

Aos pés do Senhor

Pai amado, tenho muito medo de não ser aceito pelas pessoas. Sempre tremo ao supor o que pensam de mim, pois sofro com minha autoestima. Confio no teu amor e te agradeço porque viste em mim tanto valor que enviaste teu Filho Unigênito para que um dia eu possa estar no esplendor de tua companhia por toda a eternidade. Obrigado! Amém.

25

CONFIANÇA QUE VENCE O MEDO DE PERDER AMIGOS

Ninguém tem maior amor do que aquele que dá a sua vida pelos seus amigos.

João 15.13

Quantos melhores amigos você já teve na vida? Eu tive alguns. Em minha primeira escola, tinha um; na segunda, tinha outro; na faculdade, tive uma grande amiga; no primeiro emprego, um ex-professor da faculdade tornou-se meu companheirão; após minha conversão ao evangelho, as afinidades me aproximaram de pessoas completamente diferentes... e assim seguiu minha jornada. A cada fase da vida, mudamos de círculos de amizades e aquelas pessoas que eram nossas confidentes, companheiras inseparáveis, até mesmo heróis e modelos... simplesmente tomam outros rumos. Muitas nunca mais vemos. Outras encontramos esporadicamente. E há ainda aquelas que até revemos eventualmente, mas parece que a antiga química sumiu. Como lidar com isso?

Confesso que, por muitos anos, isso me incomodou. Sempre fui muito apegado a quem amo e não me agradava a ideia de que o outro já não sentia o mesmo desejo de estar em minha companhia. Passei a ter muito medo de perder as amizades, e isso me tornou extremamente crítico de meu próprio comportamento, o que por sua vez fez de mim uma pessoa que exigia demais do amigo.

O tempo passou, cresci, amadureci e descobri que amizade não se impõe. Se ela ocorre forçadamente ou é escorada no medo, não é amizade verdadeira. Na realidade, a dinâmica de chegadas e partidas é absolutamente natural e faz parte da vida. Não foi fácil, mas, enfim, a ficha caiu. A razão pela qual nossos amigos mudam e se afastam é simples: todo mundo muda. A natureza humana é assim. E, quando digo que todo mundo muda, refiro-me a mudanças em diferentes aspectos: interesses, valores, projetos de vida, visão de mundo, espiritualidade, e por aí vai.

Na adolescência, por exemplo, eu era um roqueiro que gostava de vida noturna e livros. Naturalmente, meus amigos tinham perfil semelhante: ou eram leitores compulsivos que gostavam de debater literatura ou gente que apreciava ir a *shows* de *rock*. Quando comecei a trabalhar, como repórter de assuntos internacionais do *Jornal do Brasil* e, posteriormente, do jornal *O Globo*, passei a conviver com jornalistas mais maduros, que falavam sobre temas mais sérios e densos. Meu foco foi mudando, e meus assuntos preferidos tornaram-se outros. Em pouco tempo, os roqueiros já não me convidavam para sair.

Em seguida, veio minha conversão a Cristo, e meus antigos melhores amigos passaram a me ver como um religioso fanático, bitolado ou louco — e se afastaram. Naturalmente, ganhei novos amigos, pessoas comprometidas com o evangelho que eu agora abraçava. E, em minha caminhada na fé, percebi que o fenômeno continuava, pois até mesmo dentro da igreja os relacionamentos mudam, por motivos doutrinários, de estilo de adoração, ou mesmo por novas afinidades.

Comecei a amadurecer, o que me levou a fortalecer a confiança em Deus. Passei a ver que o Senhor conduz nossa vida de acordo com seus propósitos e que ao nosso lado permanece quem tem de permanecer. Fui desenvolvendo a compreensão de que a perda de antigos amigos e a conquista de novos é natural e não devemos nos decepcionar porque nossos melhores amigos partiram. É como as folhas de uma árvore, que, de tempos em tempos, precisam se renovar, ou como as células da pele, que se descamam e são substituídas por outras.

Talvez este não pareça um assunto muito espiritual. Mas é. Amizades são importantes. Aliás, são fundamentais. A Bíblia mostra que "é melhor ter companhia do que estar sozinho, porque maior é a recompensa do trabalho de duas pessoas. Se um cair, o amigo pode ajudá-lo a levantar-se" (Ec 4.9-10). Jesus cercava-se de amigos. Ele gostava de estar perto de seus discípulos e de outros como Maria, Marta e Lázaro. Amigos verdadeiros nos fortalecem e nos edificam, compreendem nossas falhas e não nos dão as costas e nos abandonam quando pecamos, mas permanecem para ajudar em nossa restauração. Bons amigos ouvem nossos desabafos, oram por nós, passam as madrugadas ao nosso lado se for preciso. Amigos verdadeiros são um artigo raro, fazem falta e são gêneros de primeira necessidade.

Quer testar uma amizade? Espere o vendaval ou torne-se alguém que não pode mais oferecer benefícios ao outro. Se o amor e a presença dele por você permanecerem, mesmo quando nada mais houver que você possa lhe proporcionar, mais nenhuma vantagem, nenhum benefício... então esse é um amigo real, autêntico, legítimo.

Acima de tudo, mais que ficar ansioso tentando descobrir quais são amigos verdadeiros ou não e fazendo de tudo para não perdê-los, procure ser um amigo real para seus amigos. O que tem valor de fato no reino de Deus é *você* ser o melhor amigo que puder, a despeito de como os outros são com você. Siga o exemplo do bom samaritano: ele, sim, foi amigo do homem à beira da estrada, a quem devotou-se sem ter nada a ganhar com isso.

Faça tudo por seus amigos. Sirva-os, entregue-se e não espere nada em troca. Provavelmente, você não terá muita coisa em troca mesmo. Uns vão passar, outros mostrarão não ser tão amigos assim, outros simplesmente o decepcionarão. Mas tudo bem, não importa: lembre-se de que apenas um dos amigos de Jesus permaneceu com ele junto à cruz. Os demais? Bem... Jesus deixou o exemplo do que fazer por eles: "Ninguém tem maior amor do que aquele que dá a sua vida pelos seus amigos" (Jo 15.13).

Dê a vida pelo próximo: o verdadeiro amigo, o não tão verdadeiro assim, o que vai e o que fica. Isso é o amor maior. É o amor incondicional. É dar sem receber. Ao pôr em prática essa forma tão dura e difícil de amar, você simplesmente estará amando como Deus nos amou.

Uma mensagem de esperança

Se você diz:

— *Tenho medo de perder meus amigos...*

Deus tem um recado para você:

— *Seja o melhor amigo que puder, e eu selecionarei quem deve estar ao seu lado. Pode confiar.*

Confie nestas palavras

O amigo ama em todos os momentos; é um irmão na adversidade.

Provérbios 17.17

Quem tem muitos amigos pode chegar à ruína, mas existe amigo mais apegado que um irmão.

Provérbios 18.24

Quando você der um banquete ou jantar, não convide seus amigos, irmãos ou parentes, nem seus vizinhos ricos; se o fizer, eles poderão também, por sua vez, convidá-lo, e assim você será recompensado. Mas, quando der um banquete, convide os pobres, os aleijados, os mancos, e os cegos. Feliz será você, porque estes não têm como retribuir. A sua recompensa virá na ressurreição dos justos.

Lucas 14.12-14

Aos pés do Senhor

Deus, meu Pai e meu amigo, vivo em constante ansiedade por medo de perder meus amigos. Ajuda-me a lidar melhor com isso e trabalha minha mente e minhas emoções para que eu possa ser o melhor amigo que puder. Peço-te, também, que seleciones aqueles que tu queres que caminhem ao meu lado pela vida. Confio nas tuas escolhas. Amém.

26

Confiança que vence o medo de ser criticado

> Quando o seu sogro viu tudo o que ele estava fazendo pelo povo, disse: "Que é que você está fazendo? [...] escolha dentre todo o povo homens capazes [...]. Eles estarão sempre à disposição do povo para julgar as questões". [...] Moisés aceitou o conselho do sogro e fez tudo como ele tinha sugerido.
> Êxodo 18.14,21-22,24

Tenho uma mancha nas costas. Embora seja uma ligeira pigmentação na pele, não é uma mancha pequena; tem aproximadamente o tamanho de um gomo de tangerina. Por isso, não costuma passar despercebida. Mas, acredite, só a descobri quando eu já era adulto. Parece estranho? E é mesmo, mas tem uma explicação: ela fica em um local das costas que não se vê facilmente no espelho (e ficar espiando minhas costas não é algo que eu faça com frequência). Porém, o que mais me chamou a atenção quando descobri a mancha é que ninguém me dissera antes que eu a tinha.

Quem comentou comigo pela primeira vez sobre ela foi um médico. Ele questionou há quanto tempo a mancha estava ali, e eu, intrigado, respondi: "Mancha? Que mancha?". Fui perguntar a meus pais, que, então, me disseram que eu nasci com ela. Fiquei chocado. Como era possível que, em mais de vinte anos de vida, eu nunca tivesse tomado conhecimento de que havia uma mancha em minhas costas? Bem, a verdade é que ninguém jamais se preocupara em me falar sobre aquela penetra indesejável — talvez por desinteresse, talvez por constrangimento —, por isso ela ficou ali, escondida de meus olhos, por anos e anos. Pensando sobre isso, vejo como é importante haver por perto pessoas que tenham a liberdade de apontar as manchas que temos não só no corpo, mas, principalmente, na alma. Em outras palavras: críticos.

Uma das maneiras mais eficientes de errarmos em nossas atitudes e decisões é estabelecer uma barreira que impeça críticas. No dia em que não estivermos abertos a ouvir dos outros o que eles veem de errado em nós, podemos ter certeza de que aí é que as coisas começarão a dar errado. Afinal, é muito fácil não nos enxergarmos com clareza. Já reparou que a sua mão esquerda torna-se a direita no reflexo do espelho? Isso também acontece quando olhamos para nós mesmos: não costumamos ter uma visão precisa de quem somos. Existem diversas razões para isso: egocentrismo, amor-próprio exacerbado, arrogância, autossuficiência e muitos outros pecados. Sim, isso mesmo: pecados. Pois considerar-se acima de erros é uma forma de idolatria de si mesmo. E não são poucas as pessoas que idolatram as próprias opiniões e atitudes, tornando-se avessas a qualquer tipo de crítica.

Curiosamente, embora críticas sejam um instrumento importante de aperfeiçoamento, muitas pessoas não lidam muito bem com elas. Na verdade, têm medo de ser criticadas, e situações que podem gerar críticas acabam se tornando catalisadores de ansiedade. Esse medo gera aversão a todo e qualquer tipo de crítica. Se você tem vivido isso, talvez sem perceber, é interessante ver um sintoma claro do medo das críticas: a criação de mecanismos de defesa para se blindar contra os comentários que apontam suas falhas.

Um deles é dizer que quem o está criticando "é invejoso". Outro é desqualificar a crítica como sendo "julgamento".

Outro, ainda, é relativizar a crítica, fazendo afirmações do tipo "Como você pode me criticar, se não conhece a minha vida?". Ou, então, simplesmente mandar cada um cuidar do próprio nariz, pois "ninguém tem o direito de se intrometer na minha vida". Já ouvi até quem diga que "o crítico é um recalcado, que tem dor de cotovelo pelo sucesso do outro". E por aí vai. Tudo medo de ser criticado, isto é, de ter de reconhecer sua imperfeição.

Quem ouve críticas e reage com indignação em vez de gratidão está trilhando o caminho da insensatez. É muito comum vermos reações não muito amáveis a quem nos critica, a ponto de chegarmos a pensar: "Eu é que sou o dono do meu nariz!". É verdade, mas… faça uma experiência. Tente olhar para seu nariz, sem ser no espelho. Você o enxerga com nitidez? Será que alguém que está à sua frente não o vê melhor que você? Assim é com relação à nossa vida: muitas vezes, acreditamos saber o que é o melhor, quando, na verdade, outros talvez estejam vendo a situação com muito mais clareza que nós mesmos.

Embora hoje eu dedique meus dias ao universo literário, como escritor e editor, minha formação é em jornalismo. Nunca me esquecerei de meu primeiro dia de trabalho em meu primeiro estágio. Eu tinha 19 anos, e recebi minha primeira tarefa: escrever uma reportagem para o jornal da Prefeitura do Rio de Janeiro. Apurei as informações, sentei-me diante da máquina de escrever (sim, em 1991 ainda não usávamos computador) e datilografei todo o texto. Terminada a tarefa, fui todo orgulhoso mostrar o texto para meu chefe. Para minha surpresa, ele riscou tudo. Tudo! De alto a baixo, meu lindo texto foi totalmente reescrito, rabiscado, remendado. Uma tragédia para meu ego e uma humilhação. Ao final, lembro que meu chefe olhou para mim, sorriu e disse:

"Se você receber de bom grado as críticas de hoje e aprender com humildade quais são os seus pontos fracos, um dia será um grande escritor de textos".

Confiei no que ele me disse e aceitei as críticas de bom grado. Nunca cheguei a ser um grande escritor, mas tenho a consciência de que, de lá para cá, um pouquinho eu melhorei. E por uma razão clara: naquele dia, aprendi que, se estivermos abertos a ouvir críticas sobre nossas falhas, aprenderemos com elas, corrigiremos nossas deficiências e melhoraremos a cada dia.

Há, porém, uma precaução que devemos tomar: analisar *como* chega a crítica. O apóstolo Paulo deu a fórmula: "Pois vocês sabem que tratamos cada um como um pai trata seus filhos, exortando, consolando e dando testemunho, para que vocês vivam de maneira digna de Deus, que os chamou para o seu Reino e glória" (1Ts 2.11-12). Sim, a exortação deve vir sempre acompanhada de consolo e testemunho, não apenas com um dedo na cara e palavras de ataque. A exortação que vem envolta em amor e suavidade é a chamada "crítica construtiva" e deve receber nossa atenção; já a que vem meramente com acusações deve ser ignorada, pois tem motivação duvidosa.

Algumas manchas em nossa pele são inofensivas, mas outras são tumores malignos, capazes de nos levar à morte. Não sei discernir umas de outras, por isso preciso de gente de fora que me diga aquilo que não tenho capacidade de ver sozinho. Também preciso de humildade para ouvir o que me disserem e entendimento para saber o que fazer a partir do momento em que ficar a par da realidade.

Quando tomei conhecimento de que havia uma mancha em minhas costas, recorri ao dermatologista, que me disse que aquilo não era nada de mais e não oferecia qualquer risco. Mas pode ter certeza de que, se ele tivesse dito que se tratava de algo nocivo, eu teria procurado extirpar aquela mancha o mais rápido possível. E ai de mim se não tivesse dado ouvidos àquele médico — talvez não estivesse aqui hoje para contar a história.

Uma mensagem de esperança

Se você diz:
— *Tenho medo de ser criticado...*

Deus tem um recado para você:
— *A crítica ajudará em seu crescimento e amadurecimento. Pode confiar.*

Confie nestas palavras

Como é feliz o homem a quem disciplinas, Senhor, aquele a quem ensinas a tua lei; tranquilo, enfrentará os dias maus, enquanto que, para os ímpios, uma cova se abrirá.

Salmos 94.12-13

O mandamento é lâmpada, a instrução é luz, e as advertências da disciplina são o caminho que conduz à vida.

Provérbios 6.23

Preste atenção e ouça os ditados dos sábios, e aplique o coração ao meu ensino. Será uma satisfação guardá-los no íntimo e tê-los todos na ponta da língua.

Provérbios 22.17-18

Aos pés do Senhor

Pai, ensina-me a ouvir com humildade as críticas que chegarem até mim. Dá-me discernimento para separar o que é construtivo do que não é. Confio que tu farás chegar a mim críticas que venham a somar e contribuir para que eu seja uma pessoa cada vez melhor. Amém.

27

Confiança que vence o medo de errar

> Filhinhos, agora permaneçam [em Cristo] para que, quando ele se manifestar, tenhamos confiança e não sejamos envergonhados diante dele na sua vinda.
>
> 1João 2.28

Olhos do mundo inteiro assistiram assombrados à derrota acachapante da seleção brasileira de futebol para a Alemanha, por 7 a 1, nas semifinais da Copa do Mundo do Brasil, em 2014. Aquele dia entrou para a história como uma das maiores vergonhas do esporte nacional. Foi uma sucessão de erros, que fizeram a pátria de chuteiras congelar, calada e atônita. Terminado o jogo, muitas pessoas começaram a questionar qual seria a explicação para uma derrota tão inexplicável: a culpa foi da escalação, do esquema tático, do fato de o Brasil jogar em casa, do estado emocional dos jogadores, da ausência do craque Neymar e do zagueiro Thiago Silva... Em entrevista coletiva após o jogo, o próprio Neymar, perguntado a respeito, respondeu: "Foi uma coisa inacreditável, inexplicável. Não consigo explicar, não tem o que explicar".[1]

A explicação, na verdade, é simples. Eles erraram tanto pela mesma razão que você e eu erramos tanto: *errar faz parte da natureza humana.*

O ser humano é imperfeito. Somos pecadores. Deslizes, transgressões e falhas são consequência natural da queda da humanidade. Nesse ponto, a derrota da seleção brasileira aponta para uma grande realidade de toda e qualquer pessoa: não importa quão preparado você esteja, não importa quanto tenha acertado antes, não importa nem mesmo se você tem uma vida de fidelidade a Deus e de santidade. Nada importa. Porque a realidade é que, se você é gente, um dia vai errar. E pode ser que erre feio.

Olhamos para a Bíblia e vemos essa realidade. O rei Davi saiu vitorioso nas partidas contra Golias, contra Saul, contra seus muitos inimigos... ele era o cara. Um craque. Chegou o dia, porém, em que mostrou que, como todo ser humano, era capaz de errar. Resultado: tomou de 7 a 1 quando mandou matar o soldado Urias e se deitou com a mulher dele, Bate-Seba. O tempo se passou e, logo, Davi sofre nova derrota: 7 a 1 ao se ensoberbecer e mandar fazer um recenseamento do povo. Os repórteres da época podem ter realizado mesas redondas para discutir a causa daquilo. Nas manchetes de jornal, se lia: "Vexame: Davi perde de 7 a 1". Como explicar o inexplicável? Como explicar que o homem segundo o coração de Deus, que fora campeão tantas vezes no passado, perdera de forma tão vexaminosa?

A resposta: Davi era humano. E Davi errava.

O mesmo aconteceu com cada grande homem de Deus. Abraão perdeu de 7 a 1 ao fingir que Sara não era sua esposa. Moisés perdeu de 7 a 1 ao desobedecer a Deus no episódio das águas de Meribá. Sansão perdeu de 7 a 1 ao se casar com uma estrangeira contra a vontade de Deus. Pedro perdeu de 7 a 1 ao negar Cristo por três vezes. Paulo perdeu de 7 a 1 tantas vezes que se apresentava como "o pior dos pecadores". Você e eu perdemos muitas vezes de 7 a 1 ao longo da vida. Todos perdem de 7 a 1 pela mesmíssima razão: somos pecadores, erramos.

Não adianta, portanto, ficar ansioso ou amedrontado a cada passo da vida, com medo de cometer novos erros. O que precisamos é confiar que, se errarmos, "temos um intercessor junto ao Pai, Jesus Cristo, o Justo. Ele é a propiciação pelos nossos pecados, e não somente pelos nossos, mas também pelos pecados de todo o mundo" (1Jo 2.1-2).

Sim, a seleção brasileira perdeu de forma vergonhosa. Não tem mais volta, a Copa acabou e aquela derrota ficará para sempre marcada na história. O 7 a 1 para a Alemanha é eterno. Mas há uma diferença entre esse 7 a 1 e o nosso 7 a 1. No nosso caso, a derrota não precisa marcar nosso futuro. Pois, no campeonato da cruz, existe uma regra que diz que, se a graça de Jesus nos alcança, a partida em que perdemos de goleada pode ser eliminada da tabela de nossa vida. Se nos arrependermos de nossos pecados, se os confessarmos e nos dispusermos de todo o coração a não mais os cometer, aquele jogo será deletado do nosso histórico de partidas.

> Quem é comparável a ti, ó Deus, que perdoas o pecado e esqueces a transgressão do remanescente da sua herança? Tu, que não permaneces irado para sempre, mas tens prazer em mostrar amor. De novo terás compaixão de nós; pisarás as nossas maldades e atirarás todos os nossos pecados nas profundezas do mar.
>
> Miqueias 7.18-19

Você tomou de 7 a 1 de sua natureza falível e pecaminosa? Foi humilhado, envergonhado, não tem coragem de olhar as pessoas ou mesmo Deus nos olhos? Assim como o zagueiro David Luiz fez após a derrota para a Alemanha, você só tem vontade de sair de campo, repetindo vez após vez: "Desculpe… desculpe… desculpe… desculpe…"? Então confie nesta verdade: Deus olha para você, estendendo-lhe uma taça do ouro que não derrete. Ele olha no fundo de seus olhos e diz: "Está arrependido? Reconhece que errou? Está decidido a não mais cometer esse erro? Então esse 7 a 1 será apagado da sua história. Eu o perdoo. Eu não o condeno. Agora vá e não peque mais".

Você toma a taça nas mãos e, mesmo tendo perdido de 7 a 1, descobre que, pela graça, pode erguê-la bem alto, na direção dos céus, de sorriso no rosto e coração leve. Bem-vindo à vida eterna, campeão. Você não merece, pois não foi você quem venceu o mundo, mas ainda assim a taça é sua. Qual é a explicação? Parece inexplicável que pecadores tão terríveis como nós consigamos ser campeões e herdar a vida eterna? Bem, nesse caso, a explicação é só uma: Jesus Cristo, o Cordeiro de Deus, que tira o 7 a 1 do mundo. *Ele* venceu o mundo. E, se você foi convocado para jogar no time dele, isso faz de você um eterno vencedor.

Uma mensagem de esperança

Se você diz:
— *Tenho medo de errar...*

Deus tem um recado para você:
— *Eu sei que você não é infalível e por isso lhe estendo minha graça e meu perdão; basta se arrepender, reconhecer o erro e não mais o praticar. Com isso, você será perdoado. Pode confiar.*

Confie nestas palavras

[Jesus] foi entregue à morte por nossos pecados e ressuscitado para nossa justificação.

Romanos 4.25

Como agora fomos justificados por seu sangue, muito mais ainda, por meio dele, seremos salvos da ira de Deus!

Romanos 5.9

Mas onde aumentou o pecado, transbordou a graça, a fim de que, assim como o pecado reinou na morte, também a graça reine pela justiça para conceder vida eterna, mediante Jesus Cristo, nosso Senhor.

Romanos 5.20-21

Aos pés do Senhor

Pai perdoador, sei que sou humano e, por isso, é impossível que eu não cometa erros. Mas desejo fazer meu melhor, sem deixar que a ansiedade diante do erro me paralise e me angustie. Obrigado pela tua graça e pelo teu perdão, que me permitem seguir adiante e usar o aprendizado do erro para ser uma pessoa melhor. Amém.

28

Confiança que vence o medo do desconhecido

Mesmo quando eu andar por um vale de trevas e morte, não temerei perigo algum, pois tu estás comigo; a tua vara e o teu cajado me protegem.

Salmos 23.4

"*Manhê*, acende a luz!" "Papai, deixa a lâmpada do corredor acesa!" Você costumava dizer algo assim quando era criança? Frases como essas são comuns na infância, pois, nessa época da vida, um dos nossos principais medos é o do escuro. Crescemos, nos tornamos adultos e passamos, então, a temer algo bem diferente: o futuro. O que o amanhã nos reserva? Conseguiremos um bom emprego? Casaremos com a pessoa certa? Quanto tempo teremos de vida? Muitos partem em busca de cartomantes, adivinhos, mapas astrais ou autointitulados profetas para tentar um vislumbre de como será o futuro.

Escuro e futuro: o que esses medos têm em comum? Ambos falam, na verdade, sobre o medo do desconhecido.

Com a luz acesa, temos noção do que está ao nosso redor. Ela nos garante que não há nenhum monstro debaixo da cama, nenhuma bruxa escondida no armário, nenhum lobo mau à espreita atrás da porta. Sim, a claridade nos dá a sensação de segurança. Por outro lado, o futuro pode ser uma fera ainda mais apavorante; afinal, quem pode antecipar os problemas e os reveses dos dias que virão? Qualquer coisa pode acontecer! O governo vem, confisca a poupança num estalar de dedos e tudo vai por água abaixo. O médico analisa o exame de sangue e estraga o dia ao diagnosticar um problema grave de saúde. O emprego ia às mil maravilhas até que, sem nenhum aviso, o chefe o chama à sala dele para avisar que será preciso demiti-lo. Que ameaças estarão escondidas no escuro? Nossos olhos não enxergam, por isso as desconhecemos. Que ameaças nos reservam o amanhã? Nossos olhos não as veem, por isso as desconhecemos.

Resultado? Medo.

O escuro nos ameaça com o desconhecido. O futuro nos ameaça com o desconhecido. E o desconhecido tem mil caras! Pode ser qualquer coisa! O perigo virá de qualquer lado! Como nos defenderemos?

Podemos tomar precauções que, por algum tempo, nos dão certa sensação de segurança. Realizamos *check-ups* anuais, economizamos para o período de vacas magras, conferimos se as portas e as janelas estão bem trancadas antes de dormir... fazemos tudo ao nosso alcance para nos prevenir do desconhecido. E, ainda assim, não basta: assim que a luz se apaga, vem aquele frio no estômago.

Essa angústia se vê bem nas palavras de alguns personagens da Bíblia. Um exemplo foi o sofredor Jó: "Que esperança posso ter, se já não tenho forças? Como posso ter paciência, se não tenho futuro?" (Jó 6.11). Outro, o sábio Salomão, disse:

> O sofrimento de um homem, no entanto, pesa muito sobre ele, visto que ninguém conhece o futuro. Quem lhe poderá dizer o que vai acontecer? Ninguém tem o poder de dominar o próprio espírito; tampouco tem poder sobre o dia da sua morte e de escapar dos efeitos da guerra; nem mesmo a maldade livra aqueles que a praticam.
> Eclesiastes 8.6-8

E então, o que fazer? Temos de conviver com esses medos ou há uma saída? Sim, há: confiança em Deus.

Se confiarmos no Senhor e em suas promessas, poderemos afirmar como o rei Davi: "Eu confio em ti, Senhor, e digo: Tu és o meu Deus. O meu futuro está nas tuas mãos" (Sl 31.14-15). Que linda demonstração de fé! Com base em sua confiança no Pai celestial, Davi tinha certeza de que seu futuro estava depositado nas melhores mãos possíveis. Ele afirmou e reafirmou essa convicção nas páginas das Escrituras: "Senhor, tu és a minha porção e o meu cálice; és tu que garantes o meu futuro" (Sl 16.5).

O medo da escuridão não sobrevive quando cremos que uma força maior nos protege, minuto a minuto, segundo a segundo. "Nada, em toda a criação, está oculto aos olhos de Deus. Tudo está descoberto e exposto diante dos olhos daquele a quem havemos de prestar contas" (Hb 4.13). Não há escuridão para Aquele que nos guarda. "Mesmo que eu diga que as trevas me encobrirão, e que a luz se tornará noite ao meu redor, verei que nem as trevas são escuras para ti. A noite brilhará como o dia, pois para ti as trevas são luz" (Sl 139.11-12).

Um homem que passou por muitas tristezas e encontrou conforto em sua confiança no controle divino sobre todas as coisas é o profeta Jeremias. Ele foi testemunha ocular da conquista de Jerusalém pela Babilônia, num episódio terrível e triste da história dos israelitas, quando o povo de Judá teve sua terra assolada e foi levado para viver como escravo por setenta anos em terras estrangeiras. Ainda assim, Jeremias, confiante, afirmou: "Eu sei, Senhor, que não está nas mãos do homem o seu futuro; não compete ao homem dirigir os seus passos" (Jr 10.23).

Do mesmo modo, se para nós o futuro é um cofre lacrado, cujo conteúdo não conseguimos enxergar, para o Criador do tempo, passado, presente e futuro se confundem em uma só unidade: sua capacidade, inalcançável para o entendimento humano, de ver tudo e de tudo saber faz do amanhã um livro escancarado aos olhos divinos. Se vemos o presente com clareza, lembramos do passado com certa nebulosidade e apenas especulamos sobre o futuro, o Senhor vê os três momentos com igual nitidez. Ele conhece tudo. Portanto, a confiança nesse Deus é o segredo para vencer o medo do desconhecido.

Lembre-se de que o Deus de que estamos falando ama você. Nada pode separá-lo desse amor. Nenhum medo é maior que o amor do Deus que sabe todas as coisas. Como disse o apóstolo Paulo:

> Estou convencido de que nem morte nem vida, nem anjos nem demônios, nem o presente nem o futuro, nem quaisquer poderes, nem altura nem profundidade, nem qualquer outra coisa na criação será capaz de nos separar do amor de Deus que está em Cristo Jesus, nosso Senhor.
> Romanos 8.38-39

Nada. Nem o futuro, nem poder algum. Não é preciso deixar acesa a lâmpada do corredor. Não é preciso consultar uma cartomante ou um adivinho. Tudo que você precisa é ter fé em que o Deus que o ama conhece o que você e eu não conhecemos. Essa certeza nos dá a segurança para nos atirarmos de olhos fechados no desconhecido, acreditando nas palavras da Bíblia: "Entregue o seu caminho ao SENHOR; confie nele, e ele agirá" (Sl 37.5).

Entregue. Confie. Descanse: ele agirá.

Uma mensagem de esperança

Se você diz:
— *Tenho medo do desconhecido...*

Deus tem um recado para você:
— *Eu conheço bem o que para você é desconhecido. Entregue-me seu caminho e confie em mim. Eu agirei. Pode confiar.*

Confie nestas palavras

Você não temerá o pavor da noite, nem a flecha que voa de dia, nem a peste que se move sorrateira nas trevas, nem a praga que devasta ao meio-dia. Mil poderão cair ao seu lado, dez mil à sua direita, mas nada o atingirá.

Salmos 91.5-7

Vocês que temem o Senhor, confiem no Senhor! Ele é o seu socorro e o seu escudo.

Salmos 115.11

Assim, aproximemo-nos do trono da graça com toda a confiança, a fim de recebermos misericórdia e encontrarmos graça que nos ajude no momento da necessidade.

Hebreus 4.16

Aos pés do Senhor

Pai onisciente, vivo com medo do amanhã. Não sei o que o futuro me reserva, por isso a ansiedade gerada pela expectativa do que virá me consome. Mas confio nas tuas palavras. Confio nas tuas promessas. Por isso te entrego meu caminho, em confiança, sabendo que tu agirás para o meu bem. Obrigado por cuidares de mim. Amém.

29

Confiança que vence o medo de precisar esperar muito pelo que desejo

> Para tudo há uma ocasião certa; há um tempo certo para cada propósito debaixo do céu.
>
> Eclesiastes 3.1

Haja paciência! Poucas coisas causam mais ansiedade no dia a dia que a espera. Qualquer que seja. Você chega à sala de... *espera* (o nome já incomoda) do médico e ele demora horas para atendê-lo. Corrija-me se eu estiver errado, mas daqui a pouco você estará balançando nervosamente o pé, olhando para o relógio o tempo todo, talvez andando pela sala ou até reclamando com a recepcionista. Ou pode ser a espera na fila do supermercado que não anda. Ou o ônibus que não chega no ponto. O bendito engarrafamento, quando já passou da hora de chegar ao trabalho. O professor que não entrega a prova no dia marcado. O telefone que não toca no dia agendado com a resposta da entrevista de emprego. Esperar, esperar, esperar... que angústia!

A verdade é que a ansiedade provocada pela necessidade resulta, na maioria das vezes, de algo que aflige a todos: a impaciência. Vivemos dias de grande impaciência. Tudo parece nos irritar, da demora das férias ao *download* na Internet. Em poucas décadas, a humanidade aprendeu que tudo está ao alcance de um botão, que a *food* pode ser *fast*, que a pipoca de micro--ondas estoura mais rápido, que um clique do *mouse* resolve tudo na hora; ou seja, que esperar é perder tempo. Não temos tempo a perder! Aliás, tempo temos, *nós* é que não queremos mais perder tempo. Infelizmente, a cultura do "é para ontem" tem cobrado um preço alto de nós.

"Esperei com paciência no Senhor, e ele se inclinou para mim, e ouviu o meu clamor" (Sl 40.1, RC). As palavras do salmista soam bastante fora de moda, pois esperamos com cada vez menos paciência que Deus cumpra seus propósitos. Oramos sempre na expectativa de uma cura instantânea — se ela vier daqui a uma semana é porque o Onipotente está meio fora de forma. Seis meses desempregado? Que Deus é esse? O amor que ainda não apareceu? Anda logo, Todo-poderoso! O parente ainda não foi salvo? Acho que não tem mais jeito para ele. Chegamos ao Senhor como quem chega ao balcão do McDonald's, exigindo uma bênção crocante e quentinha — se chegar fria, ameaçamos mudar para a concorrência, como muitos que abandonam a igreja porque não foram atendidos no tempo desejado. A impaciência tem nos levado a viver um cristianismo bem diferente daquele que a Bíblia ensina. É o cristianismo do *Deus express*. Consequência da falta de confiança, que gera falta de paciência, pois não confiamos que o Senhor sabe o tempo certo para cada coisa.

Só que o Deus da Bíblia não é assim. Na vida de Abraão, por exemplo, sempre destacamos a sua fé, mas o autor de Hebreus mostra que a paciência foi indispensável para o êxito do patriarca: "E foi assim que, depois de esperar *pacientemente*, Abraão alcançou a promessa" (Hb 6.15). Queremos que a promessa se cumpra, mas não temos paciência de esperar por ela. Confiança é algo ligado intimamente à paciência. Paulo deixou isso claro: "... esperança que se vê não é esperança. Quem espera por aquilo que está vendo? Mas se esperamos o que ainda não vemos, aguardamo-lo pacientemente" (Rm 8.24-25).

A paciência não é uma opção em nossa vida: ela é indispensável. Quem não sabe esperar com paz no coração acabará vivendo momentos difíceis. Ter paciência significa ser capaz de tolerar contrariedades, dissabores e infelicidades. É esperar o que se deseja em sossego e com perseverança. "Se somos atribulados, é para consolação e salvação de vocês; se somos consolados, é para consolação de vocês, a qual lhes dá *paciência* para suportarem os mesmos sofrimentos que nós estamos padecendo" (2Co 1.6).

De fato, a paciência integra a essência do Senhor: "Ora, o Deus da paciência e da consolação vos conceda o mesmo sentir de uns para com os outros, segundo Cristo Jesus" (Rm 15.5, RA). Que expressão linda: "Deus da paciência"! Não é de espantar que uma das virtudes do fruto do Espírito seja, exatamente, a paciência (Gl 5.22-23), pois, para nos conformarmos à imagem de Cristo, precisamos ter em nós aquilo que ele é. E é fundamental lembrar que fazemos parte de um povo que baseia toda a sua crença numa esperança que exige de nós paciência: se não tivermos paciência para esperar pelo retorno do Senhor, de que adianta tudo o que vivemos?

Fomos adestrados a mergulhar num mar de ansiedade caso precisemos esperar mais do que gostaríamos. Sei que você e eu fomos criados em uma sociedade que não sabe esperar, que deseja tudo para ontem, que tem respostas e comodidades a um botão de distância. Mas o evangelho nos convida a contrariar essa noção. Se queremos viver plenamente a esperança que nos foi proposta, precisamos aprender a esperar com paz na alma. A respirar fundo e deixar Deus ser Deus.

A Bíblia nos mostra que o Senhor age quando quer agir, e não quando nós queremos. Jesus não chegou à casa de Lázaro quando Marta e Maria queriam, mas quando o defunto já cheirava mal. Embora não parecesse aos olhos humanos, era o momento certo para Deus. O povo de Israel viveu quatro séculos no Egito até ser liberto. Depois, mais quarenta anos no deserto.

E, para completar, passou setenta anos no cativeiro babilônico! Às vezes, o calendário divino demanda bastante tempo. Entre a primeira e a segunda vindas de Jesus já se passaram mais de dois mil anos, e na ampulheta a areia segue escorrendo. Por que essa ansiedade toda? Por que essa impaciência toda? Você não confia? Será que Deus não é a melhor pessoa para dizer a hora certa de algo acontecer?

Calma. Paciência. Paciência. Respire fundo. E confie no que promete a Palavra de Deus:

> Entregue o seu caminho ao Senhor; confie nele, e ele agirá: ele deixará claro como a alvorada que você é justo, e como o sol do meio-dia que você é inocente. Descanse no Senhor e aguarde por ele com *paciência* [...]. Pois os maus serão eliminados, mas os que *esperam* no Senhor receberão a terra por herança.
>
> Salmos 37.5-7,9

Que o Deus da paciência acalme o seu coração, para que você olhe cada vez menos para o relógio e cada vez mais para as promessas do Senhor.

Uma mensagem de esperança

Se você diz:
— *Tenho medo de precisar esperar muito pelo que eu desejo...*

Deus tem um recado para você:
— *Para tudo há uma ocasião certa; há um tempo certo para cada propósito debaixo do céu. Pode confiar.*

Confie nestas palavras

Portanto, como povo escolhido de Deus, santo e amado, revistam-se de profunda compaixão, bondade, humildade, mansidão e paciência.

Colossenses 3.12

Queremos que cada um de vocês mostre essa mesma prontidão até o fim, para que tenham a plena certeza da esperança, de modo que vocês não se tornem negligentes, mas imitem aqueles que, por meio da fé e da paciência, recebem a herança prometida.

Hebreus 6.11-12

Portanto, irmãos, sejam pacientes até a vinda do Senhor. Vejam como o agricultor aguarda que a terra produza a preciosa colheita e como espera com paciência até virem as chuvas do outono e da primavera. Sejam também pacientes e fortaleçam o seu coração, pois a vinda do Senhor está próxima.

Tiago 5.7-8

Aos pés do Senhor

Pai, ensina-me a ter paciência! Reconheço que muitas vezes sou impaciente, o que gera ansiedade em minha alma. Tenho sonhos e projetos e quero que se realizem logo. Mas sei que tu tens o tempo certo para tudo, por isso confio que realizarás cada coisa no momento adequado, segundo os teus propósitos. Amém.

30

Confiança que vence o medo de confiar

> Eu confio em ti, Senhor, e digo: Tu és o meu Deus. O meu futuro está nas tuas mãos.
>
> Salmos 31.14-15

Chegamos à última reflexão deste livro. Em tudo o que vimos até aqui, procurei mostrar que, se você deposita sólida confiança em Deus e no que ele diz por meio das verdades bíblicas, tem tudo para vencer o medo e a ansiedade provocados pelas circunstâncias da vida. A fé é o segredo. Fé, que é "a certeza daquilo que esperamos e a prova das coisas que não vemos" (Hb 11.1). Mas não uma fé qualquer: fé em que o Todo-poderoso está atento a cada milímetro de sua vida e dedica-se dia e noite a cuidar de você. Incansavelmente. Ininterruptamente. Os olhos dele estão, a cada segundo, sobre você. Essa é a chave para enfrentar nossos temores e nossas angústias com firmeza e segurança. Mas, neste ponto, precisamos tratar de mais uma questão. Se temos de confiar, como devemos proceder quando nosso maior medo é, justamente... o de confiar? Como é possível confiar temendo confiar?

A resposta é simples: confiando.

Ahn? Como assim? Parece um paradoxo? E é mesmo. Vencer o medo de confiar mediante a confiança é um grande desafio. Mas não é, nem de longe, impossível. Afinal, milhões de pessoas ao longo da história vivenciaram essa realidade. Quando uma pessoa teme depositar toda a sua confiança em alguém, de modo geral isso se deve a uma experiência traumática não resolvida que fez que ela desenvolvesse medo de se ferir emocionalmente por já ter tido sua confiança traída. Torna-se desconfiado.

Assim, cada pessoa passa a ser um traidor em potencial, alguém que tem uma agenda oculta, disposta a machucá-lo para alcançar objetivos sombrios. Com isso, o desconfiado acaba se fechando, erguendo muros ao seu redor. Existe até um nome científico para esse medo em seu grau máximo: é a chamada pistantrofobia, quando a desconfiança vira patologia e precisa ser tratada por especialistas.

Se você tem medo de confiar que Deus age de forma benéfica e cuidadora em sua vida, isso pode ocorrer por algumas razões.

Primeiro, talvez você não creia em Deus. E, se não crê, não é porque ele não exista, mas porque você ainda não o conheceu.

Segundo, pode ser que tenha se decepcionado por más experiências com a religião, o que geralmente ocorre quando se recebe ensinos de má qualidade. Não são poucos os casos de pessoas que aprenderam um tipo de "cristianismo" mentiroso, no qual homens fazem promessas em nome de Deus que Deus mesmo nunca fez. Quando essas falsas promessas não se cumprem, a pessoa não culpa quem distorceu a Palavra de Deus, mas o próprio Deus.

Terceiro, pode ser que você creia em Deus e, no entanto, não consiga confiar plenamente nas promessas e nos cuidados do Senhor por ainda não ter uma fé solidificada.

Seja como for, a solução para esses três casos é a mesma: conhecer a Deus por meio das Escrituras Sagradas. É mediante a leitura e o estudo da Bíblia, junto com a busca do Senhor em oração, que você passa a crer na existência de Deus, adquire discernimento para identificar quais são de fato suas promessas e solidifica sua fé no poder do Senhor. "Quem examina cada questão com cuidado prospera, e feliz é aquele que confia no Senhor" (Pv 16.20).

Caso soe estranho dizer que o que resolve a falta de confiança na Bíblia é a leitura da Bíblia, permita-me explicar: existe um mecanismo espiritual sobrenatural no conhecimento da Bíblia. Quando você lê o Texto Sagrado, o Espírito Santo fala ao seu coração e faz você crer que tudo o que está ali é verdade, como ele próprio ensina: "a fé vem por se ouvir a mensagem, e a mensagem é ouvida mediante a palavra de Cristo" (Rm 10.17). Como explica o apóstolo Paulo:

> Nós, porém, não recebemos o espírito do mundo, mas o Espírito procedente de Deus, para que entendamos as coisas que Deus nos tem dado gratuitamente. Delas também falamos, não com palavras ensinadas pela sabedoria humana, mas com palavras ensinadas pelo Espírito, interpretando verdades espirituais para os que são espirituais. Quem não tem o Espírito não aceita as coisas que vêm do Espírito de Deus, pois lhe são loucura; e não é capaz de entendê-las, porque elas são discernidas espiritualmente. Mas quem é espiritual discerne todas as coisas.
>
> 1Coríntios 2.12-15

É quando nasce a fé. A confiança em Deus e nas verdades da Bíblia nasce da soma da absorção racional do texto das Escrituras mais a ação graciosa e sobrenatural de convencimento do Espírito Santo. Quando isso ocorre, brota a confiança. "Quem confia no Senhor prosperará" (Pv 28.25)

Como você passa a confiar em alguém? A resposta: quando ele de fato cumpre tudo o que promete. À medida que convive com uma pessoa e observa que suas ações são invariavelmente fiéis ao que ela diz, percebe que ela é digna de confiança. Pois Deus, ao longo dos milênios, mostrou ser alguém em quem podemos confiar. Como atestou o sábio rei Salomão: "Bendito seja o Senhor [...]. Não ficou sem cumprimento nem uma de todas as boas promessas que ele fez por meio do seu servo Moisés" (1Rs 8.56). O salmista reafirmou isso: "Pois o Senhor é bom e o seu amor leal é eterno; a sua fidelidade permanece por todas as gerações" (Sl 100.5). Em geral, confiamos em quem conhecemos bem. Para confiar em Deus, você precisa buscá-lo nas Escrituras e na oração e começar uma caminhada diária com ele, que lhe mostrará que ele é coerente e confiável.

A confiança inabalável é aquela que vem mediante o conhecimento de quem Deus é e faz, e da compreensão de que ele é fiel no que promete e diz. Uma infinidade de cristãos ao longo da história vivenciaram essa realidade e desfrutaram — e desfrutam — todos os maravilhosos benefícios da fé. Deus é fiel. Deus é bom. E, a cada nova etapa da vida que você descobre isso ao confiar nele e presenciar sua ação maravilhosa, você se torna dono de uma confiança inabalável. "O rei confia no Senhor: por causa da fidelidade do Altíssimo ele não será abalado" (Sl 21.7)

E que extraordinário é saber de uma verdade espetacular que a Bíblia nos revela: "Os que confiam no Senhor são como o monte Sião, que não se pode abalar, mas permanece para sempre" (Sl 125.1). Confie em Deus. Confie no que ele afirmou na Bíblia. Assim, você será firme como uma rocha, estável como um monte e inabalável como todo aquele que conhece o Todo-poderoso.

Uma mensagem de esperança

Se você diz:
— *Tenho medo de confiar...*

Deus tem um recado para você:
— *Busque conhecer-me, pela leitura da Bíblia e pela oração. Assim, eu me revelarei a você e lhe darei provas de que sou confiável, e sua confiança em mim se tornará inabalável. Pode confiar.*

Confie nestas palavras

Ai da cidade rebelde, impura e opressora! Não ouve a ninguém, e não aceita correção. Não confia no Senhor, não se aproxima do seu Deus.

Sofonias 3.1-2

Se algum de vocês tem falta de sabedoria, peça-a a Deus, que a todos dá livremente, de boa vontade; e lhe será concedida. Peça-a, porém, com fé, sem duvidar, pois aquele que duvida é semelhante à onda do mar, levada e agitada pelo vento. Não pense tal pessoa que receberá coisa alguma do Senhor

Tiago 1.5-7

Sem fé é impossível agradar a Deus, pois quem dele se aproxima precisa crer que ele existe e que recompensa aqueles que o buscam.

Hebreus 11.6

Aos pés do Senhor

Pai, tu sabes como confiar tem sido difícil para mim por causa das feridas do passado. Quero me tornar alguém capaz de confiar cada dia mais, mas preciso que minha fé cresça. Aumenta minha fé, Senhor! Que eu seja firme como uma rocha, estável como um monte e inabalável na minha confiança em ti. Amém.

CONCLUSÃO

Vivemos em um mundo amedrontador. Notícias ruins se acumulam ao nosso redor a cada telejornal a que assistimos, situações de risco despontam em nosso caminho a cada novo dia que enfrentamos. Tememos. Trememos. Viver é perigoso. As ameaças surgem de todos os lados, dá vontade de se encolher na toca e não pôr mais a cabeça para fora. A vida nos oprime, e o resultado são medo e ansiedade.

Não podemos, porém, viver desse modo. Precisamos de algo que nos faça encarar as situações difíceis com destemor e ousadia, que nos dê coragem e forças para ir adiante e vencer os desafios.

Algo... ou *alguém*.

A Bíblia nos relata um episódio da vida de Jesus em que ele faz uma afirmação extraordinária sobre o nosso Pai celestial. Certo dia, Cristo está conversando com um grupo de judeus quando diz: "Aquele que me enviou merece confiança, e digo ao mundo aquilo que dele ouvi" (Jo 8.26).

Essas poucas palavras de Jesus resumem duas realidades importantíssimas para nossa vida: primeiro, *Deus é confiável*. Segundo, *o Filho transmitiu ao mundo as verdades que ouviu de seu Pai* e que, portanto, são informações dignas de total confiança. O próprio Jesus reforçou isso ao afirmar em uma oração dirigida ao Pai: "A tua palavra é a verdade" (Jo 17.17).

Sim, podemos confiar em Deus e naquilo que ele nos transmitiu, pois a palavra dele é a verdade. Inquestionável. Inabalável. Absoluta.

A Bíblia enfatiza, ainda, que o Pai "não muda como sombras inconstantes" (Tg 1.17), o que nos mostra que o Criador do universo não só é confiável, mas é plenamente confiável. Sua solidez e firmeza garantem que o que ele diz é fato e que podemos depositar nossa fé no que ele nos transmite por meio das Escrituras Sagradas, pois: "Toda a Escritura é inspirada por Deus e útil para o ensino, para a repreensão, para a correção e para a instrução na justiça, para que o homem de Deus seja apto e plenamente preparado para toda boa obra" (2Tm 3.16-17).

Sim, Deus e aquilo que ele nos diz pela Bíblia são inabalavelmente confiáveis. Se crermos nisso, teremos uma rocha firme e imutável em que ancorar nossa confiança nos momentos de maior medo e ansiedade. Nas páginas das Escrituras, encontramos promessas e afirmações que são capazes de nos manter no rumo mesmo diante dos maiores perigos. Se entregarmos nossa vida nas mãos desse Deus extraordinário e guiarmos nossos passos pelas realidades que ele decidiu nos transmitir por sua Palavra, receberemos a cada dia injeções de ânimo e força que farão de nós homens e mulheres audazes e capacitados a enfrentar qualquer situação adversa.

Todo este livro poderia ser resumido em apenas uma fala de Jesus, algo que ele disse a um homem que, ao cruzar seu caminho, estava apavorado e ansioso diante da possibilidade de enfrentar uma grande perda: "Não tenha medo; tão somente creia" (Mc 5.36). Este é o segredo para vencer o medo e a ansiedade: *crer*. E crer em Deus e naquilo que ele nos diz por meio da Bíblia.

Guarde isso em seu coração e em sua memória. Se você tiver essa verdade firmemente estabelecida em seu espírito, quando as situações difíceis da vida tentarem desanimá-lo, amedrontá-lo, acuá-lo, desmotivá-lo, paralisá-lo... você encontrará na fé a solução e o escape, a resposta e a paz.

Quer vencer o medo e a ansiedade? Então leia as palavras do rei Davi: "Confie no Senhor e faça o bem; assim você habitará na terra e desfrutará segurança. [...] Entregue o seu caminho ao Senhor; confie nele, e ele agirá" (Sl 37.3,5).

Confie. E Deus agirá. Pode confiar.

NOTAS

1. Confiança que vence o medo de tomar decisões erradas
[1] *Ou isto ou aquilo*. Rio de Janeiro: Nova Fronteira, 2002, p. 38.

4. Confiança que vence o medo de doenças
[1] Disponível em: <http://lista10.org/diversos/os-10-maiores-medos-dos-brasileiros/>. Acesso em: 21 de fev. de 2015.

7. Confiança que vence o medo da violência
[1] Disponível em: <http://www.mapadaviolencia.org.br/pdf2015/mapaViolencia2015_adolescentes.pdf>. Acesso em: 27 de out. de 2015.
[2] Disponível em: <http://www.brasil.gov.br/saude/2013/09/acidentes-domesticos-ainda-sao-principal-causa-de-morte-de-criancas-ate-9-anos>. Acesso em: 27 de out. de 2015.

10. Confiança que vence o medo do improvável
[1] Disponível em: <http://g1.globo.com/globoreporter/0,,MUL1284220-16619,00-FALAR+EM+PUBLICO+E+O+MAIOR+MEDO+DOS+TELESPECTADORES+DO+GLOBO+REPORTER.html>. Acesso em: 3 de jun. de 2015.
[2] Disponível em: <http://exame.abril.com.br/mundo/noticias/15-numeros-curiosos-sobre-avioes-acidentes-e-seguranca#2>. Acesso em: 3 de jun. de 2015.

11. Confiança que vence o medo de envelhecer
[1] Disponível em: <http://g1.globo.com/ciencia-e-saude/noticia/2014/12/expectativa-de-vida-dos-brasileiros-sobe-para-749-anos-diz-ibge.html>. Acesso em: 4 de nov. de 2015.
[2] Rio de Janeiro: Record, 2013.

12. Confiança que vence o medo de se expor
[1] Disponível em: <http://www.abrh-pr.org.br/medo-de-falar-em-publico-e-maior-que-o-da-morte-para-41-das-pessoas-diz-pesquisa/>. Acesso em: 3 de jun. de 2015.

18. Confiança que vence o medo do que vem depois da morte
[1] Cf. Mt 5.22; 18.9; 23.33; 25.46; Mc 9.43-48; Lc 16.23,28; 2Pe 2.4.

21. Confiança que vence o medo de fracassar
[1] *Dicionário eletrônico Houaiss da língua portuguesa*. Rio de Janeiro: Editora Objetiva, 2009.

22. Confiança que vence o medo da perseguição
[1] MARSHALL, Paul, GILBERT, Lela e SHEA, Nina. *Perseguidos: O ataque global aos cristãos*. São Paulo: Mundo Cristão, 2015, p. 20, 24.

27. Confiança que vence o medo de errar
[1] Disponível em: <http://g1.globo.com/jornal-nacional/noticia/2014/07/neymar-diz-que-vai-torcer-por-messi-na-final-da-copa-do-mundo.html>. Acesso em: 29 de out. de 2015.

SOBRE O AUTOR

Maurício Zágari é teólogo, escritor, editor, comentarista bíblico e jornalista. Recebeu os Prêmios Areté de "Autor Revelação do Ano" e de "Melhor Livro de Ficção" pelo livro *O enigma da Bíblia de Gutemberg* e de "Melhor Livro de Meditação, Oração e Comunhão" pelo livro *Confiança inabalável*.

É autor de dez livros já publicados, entre eles *Perdão total*, *Perdão total na igreja* e *O fim do sofrimento*. Escreveu, com Daniel Faria, os estudos e comentários da *Bíblia de Estudo Na Jornada com Cristo*.

Escreve regularmente em seu *blog*, Apenas (apenas1.wordpress.com). Membro da Igreja Metodista em Botafogo (Rio de Janeiro, RJ).

Conheça outras obras de

Maurício Zágari

- Na jornada com Cristo
- O fim do sofrimento
- Perdão total
- Perdão total na igreja
- O enigma da Bíblia de Gutenberg (série *Aventuras de Daniel - 1*)
- Sete enigmas e um tesouro (série *Aventuras de Daniel - 2*)
- O mistério de Cruz das Almas (série *Aventuras de Daniel - 3*)
- O ritual (série *Aventuras de Daniel - 4*)

Compartilhe suas impressões de leitura escrevendo para:
opiniao-do-leitor@mundocristao.com.br
Acesse nosso *site*: www.mundocristao.com.br

Equipe MC:	Daniel Faria
	Natália Custódio
	Heda Lopes
Diagramação:	Assisnet Design Gráfico
Revisão:	Josemar de Souza Pinto
Gráfica:	Forma Certa
Fonte:	Bembo
Papel:	Off White 80 g/m² (miolo)
	Cartão 250 g/m² (capa)